SÉRÉNADE
POUR
UNE SOURIS
DÉFUNTE

D0928737

DU MÊME AUTEUR

Dans la même collection :

Ça mange pas de pain.
N'en jetez plus !
Moi, vous me connaissez ?
Emballage cadeau.
Appelez-moi, chérie.
T'es beau, tu sais !
Ça ne s'invente pas !
J'ai essayé : on peut !
Un os dans la noce.
Les prédictions de Nostrabérus.
Mets ton doigt où j'ai mon doigt.
Si, signore.
Maman, les petits bateaux.
La vie privée de Walter Klozett.
Dis bonjour à la dame.
Certaines l'aiment chauve.
Concerto pour porte-jarretelles.
Sucette boulevard.
Remets ton slip, gondolier.
Chérie, passe-moi tes microbes !
Une banane dans l'oreille.
Hue, dada !
Vol au-dessus d'un lit de cocu.
Si ma tante en avait.
Fais-moi des choses.
Viens avec ton cierge.
Mon culte sur la commode.
Tire-m'en deux, c'est pour offrir.
A prendre ou à lécher.
Baise-ball à La Baule.
Meurs pas, on a du monde.
Tarte à la crème story.
On liquide et on s'en va.
Champagne pour tout le monde !
Réglez-lui son compte !
La pute enchantée.
Bouge ton pied que je voie la mer.

L'année de la moule.
Du bois dont on fait les pipes.
Va donc m'attendre chez
Plumeau.
Morpions Circus.
Remouille-moi la compresse.
Si maman me voyait !
Des gonzesses comme s'il en pleu-
vait.
Les deux oreilles et la queue.
Pleins feux sur le tutu.

Hors série :

L'Histoire de France.
Le standinge.
Béru et ces dames.
Les vacances de Bérurier.
Béru-Béru.
La sexualité.
Les Con.
Les mots en épingle de San-Anto-
nio.
Si « Queue-d'âne » m'était conté.
Les confessions de l'Ange noir.
Y a-t-il un Français dans la
salle ?
Les clés du pouvoir sont dans la
boîte à gants.
Les aventures galantes de Béru-
rier.

Œuvres complètes :

Vingt et un tomes déjà parus.

SAN-ANTONIO

SÉRÉNADE POUR UNE SOURIS DÉFUNTE

Roman

ÉDITIONS FLEUVE NOIR
6, rue Garancière - PARIS 6e

Édition originale parue dans notre collection Spécial police sous le numéro 52.

*A Roger et Jeannette BRUNEL,
en toute amitié.*

S.-A.

PREMIÈRE PARTIE

CHAPITRE PREMIER

Où il est question d'un coup de volant
d'un coup de manivelle
d'un cou cravaté de chanvre
et d'un coup fourré

Le bonhomme a un regard comme deux œufs sur le plat. Il est petit avec des cheveux gris et il a le teint d'un homme qui s'est nourri exclusivement de yoghourt sa vie durant.

Il sanglote doucement sur le buvard du chef et ses larmes forment des étoiles roses.

Au moment où j'annonce mes quatre-vingt-dix kilogrammes dans la carrée, le chef me fait une petite grimace embêtée...

Des mecs qui chialent, c'est pas ce qui manque dans les locaux de la grande turne. Et c'est pas non plus ce qui nous contriste. En général, un mec qui commence à se répandre chez les flics, c'est un mec qui a fait une couennerie et qui se prépare à jouer la grande scène du trois aux jurés...

Le chef murmure :

— San-Antonio, je vous présente M. Rolle, un de mes amis...

J'en suis baba. Le boss n'a pas l'habitude de présenter ses aminches au personnel ; et je n'avais jamais pensé que, le jour où il le ferait, le pote en question serait en train de se liquéfier.

— Très honoré, je murmure, avec la voix d'un homme qui présenterait une collection d'aspirateurs à un escargot.

L'homme redresse sa bouille de supervégétarien.

Il me tend une paluche molle comme une livre et demie de foie de veau...

Je presse ce truc écœurant et il le laisse retomber sur son genou.

Tout ce que je peux vous dire, c'est que ma curiosité fait de la fumée... Et cette fumée doit me sortir du tarin, because le grand patron se décide enfin à me rencarder.

— Avez-vous lu l'affaire Rolle, dans les journaux ? me demande-t-il.

Je secoue la calbombe négativement.

Moi, quand j'achète un journal, c'est pour bigler les programmes de cinéma et, à la rigueur, lire les bandes dessinées.

— Eh bien ! voilà, explique le boss. M. Rolle, ici présent, a un fils : Emmanuel. C'est un garçon studieux, calme, pondéré...

J'ai envie de lui demander s'il est à marier, mais le boss a horreur des interruptions et des calembredaines.

— Ce jeune homme, poursuit-il, est allé terminer ses études en Angleterre... M. Rolle possède, en effet, des comptoirs en Afrique du Sud, et il a tenu à ce que son fils ait une formation britannique car il projetait de l'envoyer là-bas...

Du coup, l'homme au regard en œuf sur le plat se fout à chialer comme trente-six bonniches qui se prénommeraient Madeleine.

Le chef s'interrompt et nous observons une minute de silence gêné.

Pas besoin d'être le fakir Duchenock pour comprendre qu'il est arrivé un turbin au fiston.

Le boss se masse le crâne — ce bath crâne en matière plastique couleur ivoire qui est le plus ravissant skating à mouches de la région parisienne.

— Et alors? je susurre, pour essayer de rambiner le coup.

— Il vivait en Angleterre depuis un an. Son père allait le voir assez fréquemment et il avait l'impression que son fils menait à Londres une existence très studieuse... La chose devait du reste s'avérer exacte par la suite.

« Puis il y eut le drame...

En parfait narrateur, il reprend son souffle et laisse ma curiosité faire des bulles.

Enfin, il remet ça :

— Un jour, sur la route Londres-Northampton, il a, à la suite d'un coup de volant

malheureux, renversé un cycliste. Et c'est alors
que la conduite de ce garçon si sérieux devient
stupéfiante : au lieu de s'arrêter pour porter
secours à sa victime, il appuie sur l'accélérateur.

Je fais la grimace.

Le boss amorce un signe qui signifie : « Pas
beau, hein ? »

— Ça n'est pas tout, enchaîne-t-il...

Je suis tout ouïe, comme un poisson hors de
l'eau.

— Après s'être enfui, Emmanuel Rolle été
pris en chasse par un maraîcher qui avait assisté
à l'accident. Ce dernier possédant une petite
camionnette neuve, très rapide, a réussi à le
coincer contre le talus. Ne sachant s'il avait
affaire à un malfaiteur, cet homme s'est armé
de sa manivelle d'auto.

« Le fils de M. Rolle s'est alors jeté sur lui, il
lui a arraché ladite manivelle et lui en a porté un
coup terrible sur le crâne. L'autre a été tué sur
le coup.

Nouveau temps...

— Hum, grommelé-je, c'est plutôt moche
comme histoire... Et en Angleterre c'est un
genre de truc qui peut vous coûter cher...

« Ensuite ?

— Ça a coûté très cher à Emmanuel, poursuit le patron. Il a réussi à gagner Londres et,
une heure après y être parvenu, il est allé se
constituer prisonnier.

— Curieux, je murmure...

— Oui... Il a été jugé et condamné à mort pour homicide volontaire. Il sera exécuté demain matin...

Là, le pauvre père Rolle pousse un glapissement et se casse en deux. On a beau avoir un cœur en acier chromé, la douleur d'un daron sachant que son hoir va passer à la casserole le lendemain vous triture toujours la manette des larmes.

Je me détourne pour cacher mon émotion. Le chef tire sur ses manchettes impeccables. Ce gars-là doit faire des bonnes manières à une blanchisseuse qui ne rechigne pas sur l'amidon.

Enfin, dominant mon apitoiement, je réalise que cette histoire est bien pénible mais je ne vois pas pourquoi le boss vient me la raconter...

Il suit ma pensée comme on suit les numéros enregistrés sur le cadran lumineux d'un billard électrique.

— San-Antonio, reprend le patron, je vais vous demander un service ; un grand service, à titre tout ce qu'il y a de privé...

« M. Rolle, ici présent, aurait voulu embrasser son fils une dernière fois, mais la chose s'avère impossible. Il s'est adressé à moi en me demandant qu'au moins le pauvre garçon soit assisté en ses derniers instants par un de ses compatriotes. J'ai établi un contact à cet effet avec le Yard. Tout ce que nos confrères peu-

vent admettre, c'est que le fils Rolle bénéficie
du concours d'un prêtre français. Or, le jeune
garçon n'ayant pas le moindre sens religieux, ce
prêtre, si vous acceptez, ce sera vous... »

Je croasse :

— Moi !

— Y voyez-vous un inconvénient ?

— Eh bien !... Non... Simplement je suis
surpris... Et puis... Bref, je ne me croyais pas
désigné pour jouer les pêcheurs d'âmes, vous
comprenez ?...

Le chef me cligne de l'œil imperceptible-
ment...

— Enfin, m'empressé-je, j'accepte volontiers...

Le père Rolle renifle sa détresse. Il se dresse,
se précipite sur moi... Il me serre la main, me
secoue le bras comme un levier de pompe. Il
hoquette, il postillonne, il dit des choses éter-
nelles, il suinte, il coule, il m'inonde...

Ensuite de quoi il sort de son portefeuille
une liasse de billets épaisse comme un pouf
marocain et la pose sur le bureau du boss.

— Pour les frais de voyage du commissaire
San-Antonio, dit-il...

Et le voilà qui repart dans les pleurniche-
ries...

— Vous direz à mon fils que...

— D'accord, je murmure, je sais ce qu'il
faudra lui dire...

On a toutes les peines du monde à le virer du bureau. Il n'en finit pas de chialer, de dire des trucs bien larmoyants, bien sentis.

Lorsqu'on reste seuls, le patron et moi, notre premier mouvement est de nous éponger le front. Puis nous nous asseyons et nous nous regardons mornement, comme deux sujets de serre-livres.

— Pénible, n'est-ce pas ? murmure le boss.

— Très...

— Vous devez vous demander pourquoi je vous ai choisi...

— En effet, ne puis-je m'empêcher de murmurer...

Le chef hausse les épaules.

— A vrai dire, je n'en sais presque rien moi-même, voyez-vous...

Comme gêné par cet aveu qui n'est pas en harmonie avec sa façon d'agir, il reprend :

— Je sens qu'il existe un mystère Emmanuel Rolle. Je connais ces gens depuis très longtemps. Ce sont de bons petits bourgeois soucieux de faire des affaires et non pas de tuer des gens...

— Chaque famille a sa brebis galeuse...

— Hum, je sais... Pourtant, Emmanuel...

Il hausse les épaules.

— Voilà un garçon qui donne un coup de volant maladroit. Il fuit au lieu de stopper... Il tue le quidam qui cherche à l'appréhender... Et puis il va se constituer prisonnier, vous trouvez ça normal ?

— On a vu pire... Il a eu une grosse émotion en renversant le cycliste, ça lui a fait perdre la tête... Se voyant menacé par le maraîcher, il a voulu se défendre. C'est un sale réflexe, mais c'est néanmoins un réflexe humain. En France, il s'en serait tiré avec cinq ans de taule et quelques briques de dommages-intérêts... C'est la guigne qui a voulu que ça ait lieu de l'autre côté du Chanel. Les English ne badinent pas avec la mort !

Il ne paraît pas apprécier mon jeu de mots d'inspiration pourtant littéraire.

— Tout ce que vous dites constitue effectivement une explication fort valable de l'incident, admet-il... Dans l'abstrait, c'est même très pertinent, San-Antonio, seulement...

— Seulement ?

— Seulement, dans le cas présent, je vous le répète, il s'agit d'un garçon calme, énergique, pas d'un être flottant dont le comportement serait justifiable de la façon que vous dites.

« Emmanuel Rolle, s'il n'avait eu une raison impérieuse pour agir ainsi, se serait arrêté après avoir renversé le cycliste. Ou bien, s'il avait fui et fracassé le crâne d'un témoin pour assurer cette fuite, il aurait gardé le silence...

« Pour tout dire, cela me chiffonne et puisqu'un moyen s'offre d'avoir un suprême entretien avec ce garçon, je saisis l'occasion... »

Il reprend une cuillerée à café d'oxygène.
J'en profite pour placer mon pion.

— Je n'aurai pas beaucoup de temps pour
le... confesser, chef.

— Je sais, vous ferez pour le mieux...

— Et s'il ne veut pas du secours d'un prêtre ?

— C'est une chance à courir...

Une fois que je suis lancé dans les objections,
vous pouvez toujours essayer de me glisser des
peaux de banane sous les nougats...

— Et supposez qu'il veuille vraiment un
prêtre ?

— J'en doute, murmure le boss.

Il se caresse la rotonde.

— J'en doute, répète-t-il, mais si le cas se
produisait, vous n'auriez qu'à agir comme si
vous en étiez un...

— Je ne suis pas foutu de chanter la messe...

— Il ne vous le demandera pas...

Cette fois, y a pas à insister : je fais cama-
rade.

— Eh bien ! patron, j'agirai pour le mieux...

— Allez chercher une tenue d'ecclésiastique
chez Tranouez, le costumier du cinéma. Vous la
revêtirez et vous irez prendre l'avion qui part à
dix heures du soir. Je vous fais déposer votre
billet à la gare aérienne d'Orly. D'autre part,
voici de l'argent, pour vos frais de séjour. Plus
une lettre de recommandation pour l'officier de
police Brandon, qui est un ami à moi...

— Il est dans la combine ? je demande…

— Non, dit le chef… Il croira que vous êtes un véritable curé.

Il sourit :

— Surveillez un peu votre langage devant lui…

— Faites confiance, boss, à l'Académie française on ne jactera pas mieux…

Il se lève et me tend la main.

— Merci, dit-il… Vous êtes chic d'accepter…

CHAPITRE II

Où il est question d'un curé en rogne
et d'un condamné en forme

Le haut-parleur d'Orly aboie dans le bar. Il dit aux voyageurs pour London de se manier la rondelle because le zoiseau à roulettes ne va pas tarder à mettre les adjas.

Nous sommes donc toute une flopée qui nous pressons sur l'aire d'envol.

Je prends place aux côtés d'une jolie souris platinée comme un bouchon de radiateur de Rolls. Elle a des cils façon ramasse-miettes et ce qu'elle s'est collé comme parfum pourrait camoufler les abattoirs de la Villette.

Elle entame la conversation.

— Est-ce la première fois que vous prenez l'avion, monsieur l'abbé ?

Il me faut une bonne douzaine de secondes pour réaliser qu'elle s'adresse au mec San-Antonio. Et je renaude d'être loqué en vicaire ! Avec cette robe, je me sens aussi à l'aise qu'un poisson rouge dans un litre de porto. J'ai

l'impression d'être déguisé en pédoque. Je suis
le gars respectueux de la religion, mais cette
soutane me cause un malaise physique. Et puis
elle me gêne aux entournures...

Je me tourne vers la mousmé et je lui file mon
sourire le plus pur, style superdentifrice Col-
gate...

— Non, mon enfant, je lui bonnis. L'avion,
ça me connaît...

Je regrette aussitôt d'avoir pris langue avec
elle car c'est une gonzesse qui ne peut pas
garder son tiroir fermé plus de deux secondes.

La voilà lancée.

Elle me dit qu'elle a fait sa première commu-
nion aux Buttes-Chaumont, qu'elle n'oublie
jamais d'élever son âme dans les grandes occa-
sions et que son rêve ça serait de voir le pape.

J'en profite pour lui glisser que si elle espère
bigler le Saint-Père, elle s'est gourée de bolide
car Londres est le dernier endroit de la planète
où le Père de l'Eglise catholique aurait l'idée de
tirer une bordée.

— Vous l'avez vu ? questionne-t-elle, prête à
s'extasier...

— Comme je vous vois...

— Oh ! c'est inouï ! Comment est-il ?

— Habillé de blanc...

Elle est émerveillée.

— Vous appartenez à quel ordre ? me
demande-t-elle.

Ça, c'est la tuile. De ma lointaine formation religieuse il ne reste que des bribes de commandements de Dieu, et encore...

— Heu ! je dis, je fais partie des julistes...

— Connais pas, s'étonne-t-elle...

— Congrégation fondée par saint Jules de Belleville, je complète.

Ça lui en met plein les calots.

— Ah ! très bien... En effet, je me souviens en avoir entendu parler.

Ce qui prouve qu'effectivement, il n'y a que la foi qui sauve !

Elle me pose un tas de colles comac et je me retiens de l'envoyer tartir.

Le zinc ronronne d'une façon réglo, pas de mouron à se faire de ce côté-là.

Soudain, pourtant, il y a un trou d'air et l'appareil fait un plongeon terrible ; c'est un truc qui vous broie l'œsophage. La môme, instinctivement, se raccroche à mon brandillon. Morte de frousse, elle pose sa tête sur mon épaule. Alors que voulez-vous, le gars San-Antonio est peut-être un peu curé, mais il n'est pas encore saint. De sentir sa chaleur, son parfum, ça me chavire et je fonds comme un comprimé d'aspirine dans un verre d'eau bouillante. Je la chope par le cou et je lui roule le patin-maison, un siècle d'expérience, système breveté !

— Oh ! mon père ! balbutie-t-elle...

Elle est à la fois confuse et excitée. Un cureton, vous pensez ! Elle va drôlement vanner auprès de ses copines.

— Je vous demande pardon, je murmure...

— Il y a de quoi vous faire excommunier ! murmure-t-elle.

— Ça vaut mieux que d'attraper la scarlatine, je lui objecte.

Elle est tellement soufflée qu'elle va éclater si je ne calme pas ses scrupules.

— Chez les Julistes, nous ne faisons pas le vœu de chasteté, je lui annonce.

— Ah ! très bien, dit-elle, pleinement rassurée...

Le voyage se termine sans autres incidents. Il y a un brouillard aussi épais que dans les films de Marcel Carné lorsque nous atterrissons in London.

Dans le halo vaporeux des projecteurs, des silhouettes sont figées, immobiles...

Je m'approche des lumières en même temps que les autres voyageurs. Un grand type mince comme une paie de manœuvre s'avance droit sur moi, d'une démarche de robot. Il est vêtu d'un pardessus noir, il porte des lunettes, un chapeau à bord roulé, un parapluie roulé également et je suis persuadé que sa bourgeoise doit être aussi très bien roulée.

Il a des taches de son plein le portrait et une

petite moustache du genre pinceau usagé surmonte ses lèvres minces.

Dans un français très pur, il me dit :

— Excusez-moi, monsieur le curé, n'êtes-vous pas envoyé par les services de police français ?

— Juste !

Je lui tends la paluche.

— Je suis Brandon, dit-il.

J'admire la courtoisie de mes collègues anglais. Voilà des gnaces qui n'hésitent pas à faire tintin avec les plumes pour venir jouer les guides en pleine nuit à l'aéroport.

— Enchanté, je déclare.

On se fait la valise. Il m'ouvre la portière d'une voiture noire, carrée comme un paquet de sucre mais dans laquelle il fait bon vivre.

Brandon est muet comme trente-trois carpes. J'essaie d'amorcer une conversation sur le temps... Je peste contre son brouillard proverbial, mais ça n'a pas l'air de lui plaire tellement.

Il me dit que le brouillard est une légende et qu'en réalité, il ne fait pas plus mauvais à Londres qu'ailleurs.

Probable qu'il s'est habitué à vivre dans la pommade, ce zig ! Du reste, il conduit avec une rare maestria alors que je ne reconnaîtrais pas mon excellente femme de mère à trente centimètres même si elle me disait son nom...

Une heure plus tard nous stoppons devant

une grande bâtisse, ni plus folichonne ni moins sinistre que toutes les prisons du monde. Brandon sonne à la porte. Un judas s'entrouvre et, derrière les barreaux d'une grille, j'aperçois le visage carré d'un gardien. Brandon lui jacte une phrase courte. L'autre ouvre sa lourde.

Nous pénétrons dans une étroite courette pavée. Elle ressemble à une sorte d'antichambre à ciel ouvert. Un autre portail se dresse, façon cauchemar... Il faut à nouveau sonner et parlementer... On nous ouvre...

Nous suivons un couloir glacial qui aboutit à une rotonde d'où partent une flopée de couloirs, comme des rayons partent d'une roue.

Au milieu de la rotonde se dresse une grande table avec des gardiens assis autour. Chaque début de couloir est fermé par une grille dont les barreaux sont épais comme ma cuisse.

Brandon discute le bout de gras avec un chef. Celui-ci s'incline devant moi et je lui accorde une petite bénédiction *urbi* et *orbi*.

La balade se poursuit dans la sinistre crèche. Maintenant nous sommes flanqués d'un gardien qui ressemble tellement à un gorille que j'ai presque envie d'aller lui acheter des cacahuètes.

Nous allons dans le quartier des condamnés à mort.

Un sale quartier, croyez-moi.

Je juge le moment venu pour brandir mon bréviaire.

S'agit de faire vrai :

Une petite porte...

— C'est là...

Le gardien l'ouvre et je pénètre dans une pièce étroite, plus que sommairement meublée.

Le fils Rolle est là.

C'est un grand garçon, brun, aux yeux clairs et énergiques.

Il est assis sur un escabeau et il semble rêvasser. Ici, les condamnés à mort savent le jour du procès, la date de leur exécution, alors ils ont la possibilité de réfléchir à tous les problèmes de la terre et à ceux du ciel...

Lorsque je pénètre dans sa piaule, il se dresse légèrement.

Un voile passe sur ses yeux. Il a un sourire amer.

Et il me bonnit une brusque tirade en anglais. Comme je n'y entrave que pouic, je hausse les épaules.

— Te casse pas la nénette, fiston, je murmure... J'ai jamais été doué pour les langues étrangères...

Il reste le bec ouvert.

— Vous êtes français ?

— Aussi français que des gars qui s'appellent Durand depuis cent seize générations !

Il hausse les épaules.

— L'administration pénitentiaire britannique fait décidément bien les choses, murmure

Rolle. Elle offre des aumôniers d'importation à chaque étranger qu'elle va mettre à mort.

Il n'a pas l'air de se laisser abattre, le garçon. C'est un mec courageux et qui saura crever gentiment.

Je me dirige vers son lit et je m'y assieds.

— C'est gentil d'être venu, ricane-t-il, mais excusez-moi, l'abbé, je m'arrangerai directement avec le Bon Dieu, tout à l'heure. Vous savez ce qu'on dit chez nous : il vaut bien mieux s'adresser au Bon Dieu qu'à ses saints ?

— Je sais, dis-je...

Je soupire...

— Mais ça n'est pas pour vous évangéliser que je suis venu...

— Ah ! non ?

— Non... D'autant que je partage absolument votre point de vue sur la religion...

Du coup il en prend plein les carreaux...

— Comment cela ?

— Ecoute, mon gars, je murmure, c'est pas la peine de t'enchetiber, ce serait pas correct en un pareil moment. Je joue franco : je ne suis pas plus curé que toi tu n'es le pape. Mon blaze est San-Antonio et je suis flic. Ton vieux est un pote de mon chef, c'est ce dernier qui a obtenu des English la permission d'envoyer un curé de chez nous pour t'assister. Seulement, au lieu de te dépêcher un représentant du clergé qui t'aurait cassé les pattes avec ses salades, il a trouvé plus judicieux d'envoyer quelqu'un de chez lui...

L'autre paraît méfiant, soudain. Son regard se plisse.

— Drôle d'idée, fait-il enfin...

Nous nous regardons en silence un certain temps.

— J'ai vu ton père, petit... Cette histoire lui en a fichu un sérieux coup dans la pipe... Il m'a chargé de te dire tout son amour...

Ma gorge se serre. Il me semble que j'avale une patte de volaille aux doigts écartés.

Les yeux du fils Rolle s'embuent. Il se lève, croise ses mains et fait craquer ses jointures comme du bois sec. Tout à l'heure, ce seront ses vertèbres qui feront ce petit bruit-là...

— Merci, lâche-t-il enfin.

Il ajoute...

— Vous direz à mon père que... je regrette cette stupide histoire.

— D'accord...

— Vous lui direz aussi que ma dernière pensée...

— Mais oui...

Je savais que c'était un foutu boulot, mais je ne pensais pas que ce serait aussi compliqué, aussi pénible. Ce turf-là, c'est un turf de vrai curé, moi ça me contriste.

— Tu n'as rien à me dire ? je reprends...

Il secoue la tête.

— Non, fait-il, c'est tout...

J'ai une parole malheureuse. Quand je vous dis que le sentiment c'est pas ma partie.

— Profites-en ! Je lâche...

Sous-entendu :

« ... pendant que je suis là...

Lui, il comprend autre chose.

— Oui, dit-il, je n'en ai plus pour bien longtemps...

— Ça n'est pas ce que je voulais dire...

Il secoue la tête.

— Je n'ai rien à ajouter...

Je me lève et vais m'adosser au mur, tout près de lui. Je lui pose la paluche sur l'épaule.

— Mon patron, je commence, tu le connais ? Il est chauve comme un pamplemousse avec des idées à part...

Il sourit en évoquant le boss.

— Je le connais, fait Emmanuel.

— Il s'est dit que tu aurais peut-être quelque chose qui te tracasserait en ce moment.

— Tu parles ! gouaille le jeune homme.

Seconde parole malheureuse de ma part. *In petto* je me traite de tous les noms possibles et imaginables.

Seulement ça ne sert à rien de vouloir rectifier le tir. Au point où il en est, Rolle se torche bien avec les convenances.

Pas bavard, le futur pendu, hein ?

— Alors ? interrogé-je.

— Alors rien, dit-il.

J'attaque.

— Mon chef...

Il sourit...

— Vous êtes de l'espèce mégalomane, remarque-t-il...

— Assez, admets-je... C'est congénital, dans la police... Cette maladie-là se développe comme la coqueluche dans une école maternelle. Donc, pour en revenir à mon chef, il trouve que ton histoire n'est pas claire...

— Voyez-vous...

Pour un condamné à mort qui sera accroché par le cou dans un instant, il a de l'aplomb.

— Il prétend que ça n'est pas ton genre, tout ça... que tu n'es pas le type à abandonner un blessé sur la route, et pas non plus le type à cabosser le crâne d'un type qui voudrait te donner une leçon de civisme...

Emmanuel a un petit sourire triste.

— Pas mon genre, rêvasse-t-il...

— Non. Et maintenant, rien qu'à te voir, je suis prêt à penser comme lui. Ecoute, mon gars, ne finassons pas. Tu vas y aller du cigare et je le regrette. Ton histoire se serait passée en France, ça se tassait sans bobo, mais il est trop tard... Seulement, il se pourrait que tu aies eu des ennuis... Que tu aies agi sous le coup d'une influence étrangère... Je ne sais pas... Bref, il est à penser — et nous le pensons — que quelque chose bougeotte là-dessous. Alors je profite de cet ultime entretien pour te demander quoi...

Il reste immobile. Il est un poil plus pâle que lorsque je suis entré...

Ses yeux sont pleins de je ne sais quoi...

— Je n'ai rien à dire, fait-il... Non, tout s'est passé tel que je l'ai dit... C'est ridicule, mais je paie, alors qu'on me foute la paix...

Je n'ai plus qu'à lui souhaiter une bonne mort.

Sur ce, on frappe à la lourde. Brandon est là, avec des gardiens et un autre zigoto à l'air compassé qui doit être le dirlo de la cabane.

Ce petit trèfle s'annonce dans la cellote. Le directeur bonnit un laïus à Emmanuel. Je comprends que c'est la formule sacramentelle pour lui annoncer que la sentence va s'accomplir.

Emmanuel le regarde bien tranquillement. Ce gaillard-là a un drôle de souffle, je vous le dis !

Les gardes encadrent le condamné. Brandon me fait signe de suivre le cortège. Nous voilà partis en vadrouille dans les couloirs tristes.

La salle des exécutions est dans une aile extrême de la maison. C'est une pièce nue, blanchie à la chaux. La potence est sans majesté. Elle fait même foutriquet. C'est une potence pour pauvre homme. Au-dessous, il y a

une trappe, fermée pour le moment. Le bourreau est un homme entre deux âges qui a une
tête de comptable et des yeux de myope.

Il est loqué en gris-noir. Il a une chemise
blanche et une cravate noire. Il fait très « j'ai
perdu ma belle-mère la semaine dernière ».

Les gardiens amènent Emmanuel sur la
trappe. Ils lui lient les mains et les jambes...

Pendant ce temps, le bourreau prépare sa
ficelle. Mon cœur cogne à plein tube. Des
hommes, j'en ai dessoudé des pleins paniers,
mais c'était dans le feu de l'action — en
situation, comme on dit au théâtre. Cette mise à
mort, froide et méthodique, me glace...

Je regarde Emmanuel Rolle et il me
regarde... Ses yeux sont intenses...

Le directeur s'avance à nouveau et bonnit un
nouveau laïus sur l'air des sermons de la B.B.C.

Emmanuel l'écoute sans piper. Puis il secoue
négativement la tête et ses yeux reviennent se
fixer sur moi.

Je n'y tiens plus. Je m'avance sur la trappe et
je le cramponne par le cou. Je l'embrasse
fraternellement sur les deux joues.

— Tu as du cran, je lui chuchote, tu es un
homme, Rolle. Je leur dirai que tu es mort
comme un champion...

Ça lui fait du bien...

Brusquement, je ne vois plus ses yeux. Le

bourreau vient de lui passer une cagoule noire
sur le visage.

Ça fait une sacrée impression de se trouver
face à face avec un type coiffé de ce machin-là
et ayant une corde autour du cou.

— Courage ! je dis...

Alors, je vois bouger la cagoule à l'emplace-
ment des lèvres.

— Je suis innocent, émet une voix étouffée.

Brandon qui se tient derrière moi me fait
reculer.

La trappe s'ouvre, un éclair noir me passe
devant les yeux et je n'ai plus devant moi
qu'une corde tendue qui oscille doucement.

Il me semble que je viens de rêver tout cela...

Je reste un instant prostré... Le coup a été
rude...

— Venez, monsieur le curé, m'ordonne
Brandon.

Je le suis...

C'est encore une fois la morne procession
dans les couloirs. Nos pas me résonnent dans le
crâne...

Je vais mornement, comme un bœuf va à
l'abattoir...

— Cette exécution me paraît vous avoir
beaucoup affecté, me dit mon collègue anglais.

— Assez, oui, je murmure... Vous avez
entendu ce qu'il a dit, une fois qu'il a eu la
cagoule ?

— Non.

— Qu'il était innocent !

Brandon secoue doucement la tête.

— Ils disent tous ça à ce moment-là. Comme s'ils espéraient que cette négation suprême provoque un sursis...

Une fois hors de la prison, je sens que ça va un peu mieux.

— Monsieur le curé, dit Brandon, je suppose que vous aimeriez prendre un peu d'alcool pour vous remettre.

— Volontiers...

Il ouvre la portière de sa voiture carrée et me laisse monter. Après quoi il s'installe au volant.

— Les pubs sont fermés à ces heures, dit-il... Allons à mon club.

Il navigue dans le brouillard comme un poisson dans la flotte. Pour s'y reconnaître dans ce coton, faut avoir une boussole dans chaque œil, je vous le jure !

Dix minutes plus tard, il se range devant la façade d'un grand immeuble et m'invite à le suivre. Nous pénétrons dans un immense hall décoré de plantes vertes et nous nous engageons dans un monumental escalier.

Le club est au premier.

A ces heures il n'y a presque personne. Simplement quatre tordus qui jouent aux brèmes à une table... et deux employés en uniforme qui essayent de ne pas bâiller.

Brandon s'assied au plus profond d'une bergère. Je m'écroule dans un fauteuil.

— Whisky? demande-t-il...

J'accepte d'un signe.

— Deux scotch doubles, fait-il.

Bien qu'il l'ait dit en anglais, j'ai pigé. Il y a des mots que j'entrave dans toutes les langues!

— Alors, monsieur le commissaire, poursuit-il, que concluez-vous de votre voyage?

CHAPITRE III

Où il est question de l'homme qui a vu
l'homme qui a vu l'homme qui a vu l'os !

Je prends le verre de scotch que le barman ensommeillé mais correct dépose devant moi et je le siffle d'un trait.

Brandon boit le sien aussi, mais lentement, poliment. Enfin je le regarde et j'éclate de rire.

— Vous m'avez reconnu ? dis-je.

Il a un sourire bref.

— Non, fait-il... Mais lorsqu'un chef de la police française m'a demandé d'envoyer un prêtre pour assister Rolle, j'ai tout de suite pensé que ce prêtre-là aurait de larges épaules et qu'il n'aurait pas des manières d'ecclésiastique.

« Je ne me suis pas trompé. Je sais qu'il y a dans les services secrets français un commissaire San-Antonio qu'on charge des missions hors série... Je sais que ledit commissaire est un franc buveur et qu'il n'a pas la langue dans sa poche, comme vous dites en France...

Il lève son verre.

— A votre santé, monsieur le commissaire...
J'hésite.

— A la vôtre. Brandon, on peut remettre
ça ?

Mon collègue fait claquer ses doigts. Le
barman marche au geste. Bientôt j'ai la possibilité de tremper ma trompe dans un godet grand
format.

— Ce voyage, demande mon compagnon,
vous a-t-il enseigné quelque chose ?

Je hausse les épaules.

— Non, rien. Simplement, il a jeté en moi le
doute...

— Le doute ?

— Oui...

— Quant à la culpabilité de Rolle ?

— C'est ça...

Il médite un instant. Il se tient très droit sur
sa chaise avec cet air embarrassé du mec qui a
accompagné sa souris dans un salon d'essayage.

— Je vais être franc avec vous, commissaire,
dit-il. Honnêtement, je suis convaincu qu'Emmanuel Rolle était coupable. J'ai beaucoup
vécu en France et, intérieurement, je déplore
certains côtés rigoureux de notre justice. Cet
homme n'avait pas tout son bon sens lorsqu'il
commit cet acte de violence, pour tout vous dire
il avait bu. J'ai moi-même enquêté là-dessus.
J'ai interrogé l'aubergiste de Northampton chez

lequel il a festoyé en compagnie d'une amie. Ce dernier m'a dit qu'ils avaient commandé deux bouteilles de bourgogne.

— Et alors, je demande, pour un Français, qu'est-ce qu'il y a d'extraordinaire là-dedans ?

Il me regarde et alors il sourit largement ; pour la première fois il paraît vraiment humain.

— Damné *french boy* !

Je me gondole itou.

— Deux bouteilles à deux, c'est ce qu'on prend comme café au lait le matin, de l'autre côté du Chanel, je lui certifie. Alors pas la peine d'en faire un monde...

Il redevient grave.

— Enfin, ivre ou non, il a bel et bien renversé le cycliste...

— Le cycliste l'a reconnu ?

— Oui...

— Comment va-t-il ?

— Mieux : quelques côtes enfoncées et une plaie à la tête...

— Rolle était seul ?

— Oui...

— Et la fille avec laquelle il a becqueté ?

— Il a quoi ? demande Brandon, ahuri...

— Bouffé, morfilé, morgané, mangé, quoi !

— Nous l'avons interrogée. C'est une ancienne condisciple de Rolle. Une demoiselle Auburtin, Martha Auburtin, préparatrice en pharmacie à Northampton...

— Ils étaient amants ?

— C'est possible, bien que l'un et l'autre aient assuré le contraire...

— Elle dit que Rolle était ivre en sortant de table ?

— Elle l'a juré devant le tribunal, en tout cas...

Je vide mon fond de verre sous le regard lourd du barman qui n'en revient pas de voir lichetrogner à cette cadence un brave curé.

— Parlez-moi du meurtre, Brandon...

Il se recueille parce que c'est un homme qui n'a pas l'habitude de s'acheter une paire de lacets sans avoir au préalable pesé le pour et le contre avec une balance de Roberval.

— Le maraîcher Harris passait sur la route au moment où l'accident a eu lieu. Il a pris Rolle en chasse. Sa camionnette neuve montait très haut au compteur, beaucoup plus que le petit cabriolet de Rolle. Il l'a dépassé et l'a coincé contre le talus.

« A tout hasard, il a saisi sa manivelle qui se trouvait sous son siège afin de tenir l'énergumène en respect. Mais Harris était un petit homme chétif et d'un certain âge. Rolle lui a sauté dessus, lui a arraché la manivelle qu'il brandissait et la lui a abattue sur le crâne... C'est du moins la version qu'il a donnée. Seulement le coup a été porté sur la base du crâne, ce qui implique que l'agresseur a tapé alors que sa victime était, soit penchée en avant, soit détournée...

— Il n'y avait pas de témoins ?

— Aucun, la nuit commençait à tomber et la route était déserte. A cet endroit elle traverse un bois de chênes...

Je fais un signe affirmatif...

— Et alors ?

— Rolle prétendit avoir frappé Harris de face. Pour expliquer la plaie derrière le crâne, il a fait remarquer qu'une manivelle d'auto est une ligne brisée...

Il me regarde.

— Rolle est remonté dans sa voiture et a regagné Londres. Trois heures plus tard il allait au commissariat central se livrer...

— Avez-vous vérifié son emploi du temps entre son arrivée à Londres et sa reddition ?

— Oui... Il est allé au cinéma...

— Au cinéma !

— Il a prétendu qu'il était comme hébété et qu'il a eu besoin de noir, pour réfléchir. Il est allé au *Byron,* cela a été vérifié.

Je ne vois plus rien à demander.

— Bon, dis-je, je vous remercie...

Je déboutonne ma soutane et je la donne au barman.

Il la considère avec effroi comme s'il s'agissait du scalp de son frère jumeau.

— Je voudrais laisser ça en dépôt, dis-je...

Mais il n'entrave pas plus le français que le gars San-Antonio ne jacte l'anglais.

Heureusement, Brandon sert d'interprète.

— Que comptez-vous faire ? demande-t-il...

— Je ne sais pas, fais-je... Renifler un peu...

Je pense à cette voix étouffée, venant de sous la cagoule noire... C'était déjà une voix d'outre-tombe. C'était la voix d'un mec costaud qui, brusquement, au moment de lâcher la rampe, voulait faire savoir au monde qu'il était innocent.

Car Emmanuel Rolle était innocent. Je vous parie douze cachets d'aspirine contre une place de Président de la République d'occasion qu'il n'a pas buté le mec... Dans sa cellule, dès le premier regard, j'ai pigé que ce petit gars n'était pas un criminel. Faites confiance au bonhomme, je reconnais les innocents comme les maquignons reconnaissent les chevaux panards.

— Brandon, dis-je, je vous remercie bougrement pour votre courtoisie, qui me prouve que la réputation du Yard n'est pas surfaite. Avec votre permission...

(*In petto* je pense : « Et même sans. »)

— ... avec votre permission je vais jeter un coup d'œil à cette histoire, simplement afin d'avoir quelque chose de concret à sortir à mon chef. Une sorte de version française du drame, en somme.

Il approuve d'un hochement de tête. Il n'a

pas du tout l'air sarcastique. Ce serait un Anglais qui viendrait chez nous parler de contre-enquête, on le traiterait de peigné-zizi, de puant et de va-de-la-gueule... Mais lui, au contraire, me donne raison. Il ne nie pas que je puisse trouver des truffes là où il n'a déniché que des champignons vénéneux.

— Vous seriez gentil de me donner l'adresse de la fille avec laquelle il a festoyé à...

— Northampton, complète en souriant Brandon.

— C'est ça... Ainsi que celle de l'hôtellerie et de l'accidenté...

Il me rédige tous ces rancards sur une feuille de papier blanc, de cette écriture britannique droite et arrondie.

Il y joint même l'adresse d'Harris, la victime...

— Je vais vous inscrire mon numéro de téléphone, dit-il, si vous avez besoin d'aide, vous pourrez me joindre...

Nous sortons du club. Le jour rôdaille à travers le brouillard. Les becs électriques ont un halo plus ténu, plus dilué...

Brandon me serre la pince...

— Je suppose que vous allez vous reposer un peu, dit-il. Allez à l'hôtel *Wuich* de ma part. Il se trouve près de la station *Elephant and Castle.*

— Merci...

Je lui tends la patte, on s'en serre cinq et me
voilà tout seulard au milieu de la purée de pois.

Ce patelin, je vais vous dire, c'est exactement
le dernier coin de la terre où j'irais porter mes
pieds si je cherchais à m'expatrier. J'ai horreur
du brouillard, moi... Mes éponges peuvent pas
se contenter de vapeur. C'est lugubre et ça vous
imprègne de tristesse jusqu'au plus intime du
calbard.

Je danse d'un pied sur l'autre, indécis.

Vais-je suivre le conseil de Brandon et aller
me fourrer dans une paire de draps, ou bien au
contraire, dois-je décarrer sur le sentier tor-
tueux de la guerre ?

J'opte rapido pour la seconde formule. Je n'ai
pas sommeil et la petite cérémonie à laquelle je
viens d'assister m'a chaviré le palpitant.

Je me mets à arpenter les rues désertes. Des
voitures commencent à circuler. Tout est feutré
et gris. Tout est sombre, hostile, farouche... Et
moi je me sens comme le petit Poucet au milieu
de la forêt après que les zoziaux eurent mouf-
feté les miettes de brignole dont il marquait sa
route...

Soudain j'avise un taxi en stationnement.

— Mande pardon, patron, je fais.

Le zig est un grand sec avec une tête comme
un plumeau sans plumes.

Il a le regard chassieux.

Je réalise que je lui parle dans une langue qu'il ne connaît pas.

— Je ne parle pas français, récite-t-il avec un accent à découper au chalumeau oxhydrique.

— Et moi, *I not speak english* je déclare.

Ça le fait marrer. Lorsqu'il rit, on dirait que sa bouche va faire des petits.

Je me cramponne le bocal et je réfléchis.

— Je *go to Northampton,* dis-je enfin.

Comme dit un pote à moi : je suis polygone, j'habite Vincennes.

Le chauffeur me sort un grand baratin que je ne pige pas et il me fait signe de grimper dans son bahut.

Ça m'étonnerait qu'il me pilote jusqu'à la ville en question, mais enfin, il va peut-être me faire faire un bout de chemin.

Dix minutes plus tard, sa tire stoppe devant un édifice qui ressemble plus à une gare qu'à une pissotière.

— Northampton ! dit le grand mec.

J'ai pigé. Un crétin pigerait, y a pas de mérite !

J'allonge un biffeton d'une livre et il me rend la monnaie.

— Merci, dis-je en m'engouffrant dans la station.

La matinée est déjà assez avancée pour son âge lorsque je débarque à Northampton. Le brouillard s'est fait la valise ou alors il est resté dans la région londonienne.

Vous allez peut-être me traiter de menteur, mais je vous affirme qu'il y a des bribes de soleil sur les toits...

J'avise un policeman avec un casque à impériale et je lui demande l'auberge du *Lion Couronné.* Il me l'indique illico car c'est à deux pas, sur une petite place aux pavés bien égaux.

La ville est construite en briques rouges et, je ne sais pourquoi, me fait penser à Toulouse.

J'entre dans l'auberge. Il faut descendre deux marches. C'est d'un rustique coquet, pimpant. Ça sent la cire et l'encaustique pour cuivre. Ça sent aussi la bière.

Un patron grassouillet, mais avec la figure colorée comme une endive, se tient assis au fond de la salle basse. Il plume une oie.

Il me baragouine un salut obséquieux au milieu d'un nuage de duvet.

— Vous parlez français ? je demande...

Il secoue négativement la trombine.

Me voilà gentil. J'ai bonne mine de vouloir enquêter dans un patelin dont je ne comprends pas le langage.

J'ai l'air à ce point désolé qu'il se met à bramer à la cantonade :

— Mary ! Mary !

Une fille rousse, à l'air sournois, apparaît.

Le taulier me désigne en lui expliquant que je ne pige pas une broque à la langue de Shakespeare.

— Vous désirez ? demande-t-elle.

Son français est à peu près fumable.

— Voilà, expliqué-je, je fais partie de la police parisienne.

Comme preuve de ce que j'avance, je lui montre ma carte. Elle l'étudie très attentivement, avec le même soin qu'un douanier diligent.

— Que pouvons-nous pour vous ?

Elle explique à son patron de quoi il retourne. Lorsqu'il est affranchi, il fronce le sourcil.

— Je viens au sujet du jeune Français qui a été exécuté ce matin, fais-je...

— Oh ! *yes,* fait la servante, je me souviens très bien...

— Il a pris un repas ici, le jour de son crime, n'est-ce pas ?

— Oui.

— Il était avec une jeune fille ?

— Oui.

— Vous aviez déjà vu ce garçon et cette fille auparavant ?

— Ils venaient ici toutes les semaines, le vendredi... Ils faisaient un repas en tête à tête...

— Aviez-vous l'impression qu'ils... qu'ils s'aimaient ?

Elle rougit comme les fesses d'un nouveau-né.

— Je ne sais pas...

— Enfin, d'après leur attitude...

Elle secoue la tête...

— Non, ils étaient très corrects.

Je la regarde et je lui souris, histoire de la mettre en confiance, mais elle s'était fait porter pâle le jour où la fée Marjolaine distribuait la bonne humeur. Elle est renfrognée comme un pékinois.

— Aucun incident particulier n'a marqué ce déjeuner ?

Elle réfléchit.

— Non, aucun...

— Vous êtes certaine ?

— Oui...

— Voulez-vous demander à votre patron s'il a remarqué quelque chose ?

Elle se tourne vers le gros zig à la peau grise. Elle lui traduit ma question et je le vois qui se met à réfléchir.

Puis soudain, il commence à jacter à tout berzingue. Il en dit épais comme de la gelée de groseille. Il s'anime, ce qui est rare pour un Anglais... Je flaire du bon...

La servante a l'air surpris. Enfin, lorsque l'autre se bouche la valve, elle récite, docilement :

— Mr Benett — je comprends qu'il s'agit du gargotier — dit qu'au cours de ce repas, il y avait un homme assis à la table voisine de celle des jeunes gens. Il a bu de la bière. A un certain moment, le jeune homme français s'est levé pour aller acheter le journal dans la rue à un marchand qui passait. L'homme a lancé discrètement une boulette de papier à la demoiselle. Mr Benett avait le dos tourné, mais il a vu le manège dans la glace...

Tiens, tiens, voilà enfin du nouveau...

— Qu'a fait la jeune fille ? je demande.

La grosse enflure de taulier s'explique. J'attends la traduction ; j'ai un peu l'impression d'être à l'O.N.U.

— Elle a glissé la boulette de papier dans sa poche. Lorsque son ami français est rentré, tenant le journal, elle s'est excusée et est allée aux lavatories...

Evidemment, pour lire...

Je me mordille la lèvre inférieure.

— L'homme est parti ?

— Presque tout de suite...

— Comment était-il ?

Elle va aux informations auprès du père plume-volaille. Celui-ci fait une description qui m'est livrée mot à mot. Le mec lanceur de boulettes était grand, jeune, blond. Il portait un complet bleu marine et un gilet de daim marron. C'est tout ce qu'on peut me dire...

— Y a-t-il autre chose pour votre complaisance ? demande la môme.

J'ai envie de lui proposer quelques cours de français supplémentaires, histoire de parfaire son vocabulaire... Des cours du soir pour adulte, de préférence. Mais décidément elle est trop locdue, trop triste.

— Oui, dis-je, il y a une chose que vous pouvez faire pour moi, c'est une paire d'œufs au bacon !

Elle passe la commande en direct à son employeur. Ce dernier, du moment que je deviens client, s'active. Il me désigne une table près d'un grand poêle en faïence, une table coquette avec une nappe à petits carreaux rouges...

Je m'assieds et c'est avec une joie féroce que je crève les jaunes de mes œufs.

En mastiquant allègrement je fais un petit voyage à rebours. C'est de cette salle d'auberge anglaise qu'est parti le drame... Vous haussez les épaules ? Parole ! mon renifleur n'est pas une betterave. Depuis le temps qu'on se fréquente, vous devez savoir que lorsque je démarre sur une piste, même inconsistante, c'est que quelque chose ne tourne pas rond... Je me suis rarement gouré. Là, le boss avec son crâne déplumé et ses manchettes amidonnées a vu juste. Il existe une affaire Rolle. Une affaire beaucoup moins simple que ne l'a cru la police anglaise.

Je bouffe lentement mes œufs frits en regardant la table qu'occupait le mystérieux couple...

CHAPITRE IV

Où il est question d'une souris
partie sans laisser d'adresse

Chemist's shop, mon tom-pouce français-
anglais indique que ça se dit aussi *Pharmacy.*
C'est pas ça qu'il y a écrit en caractères dorés
au-dessus de la porte, mais le truc de chimiste
que je viens de vous bonnir en respectant
l'orthographe.

Je pousse le bec-de-cane et je trouve en face
de moi une sorte de héron frileux habillé en
blanc.

— Mr Standley ? je demande en m'efforçant
d'attraper un accent anglais carabiné.

— *Yes,* me répond cet honorable commer-
çant.

— Parlez-vous français ?

Toujours ma petite question que je promène
comme une sébile sous le nez des naturels d'ici.
Faut dire que le petit dico dont je me suis armé
pour me permettre de déblayer les barricades

du vocabulaire, en cas de nécessité absolue, est un peu sommaire.

— Un petit peu, dit le pharmago.

— A la bonne heure !

Je le regarde. Non, ça n'est pas à un héron qu'il ressemble, mais à un pélican, car il porte un goitre volumineux sous le menton.

— Pourrais-je parler à Mlle Auburtin ?

Il ouvre la bouche et j'aperçois des chicots noirs qui ne font pas honneur à sa profession de marchand de pâte dentifrice.

— Elle m'a quitté ! dit-il...

Je sursaute vachement.

— Quand ?

— Il y a quelque temps. Elle n'est pas venue travailler un matin, elle m'a téléphoné que sa tante de Londres était très malade et qu'elle devait se rendre à son chevet. Une fois à Londres, elle m'a écrit en me disant que sa tante allait un peu mieux mais que, dorénavant, elle demeurerait auprès d'elle. Elle s'excusait et me donnait sa démission...

— Voyez-vous ça...

Il me regarde avec surprise.

— Puis-je vous demander qui vous êtes ? demande le pélican frileux.

— Je suis un policier français. En accord avec Scotland Yard, je fais une petite enquête au sujet de ce drame survenu il y a trois mois sur la route qui va à Londres, vous voyez ?

Il a dû avaler trois ou quatre pacsons de coton hydrophile qui lui sont restés dans le gosier. Il clignote des châsses en me biglant...

— Oui, fait-il, je suis au courant. Il s'agit d'un de vos compatriotes, n'est-ce pas ?

— C'est ça... Et il frayait votre souris...

Il se triture le corgnolon. De ses mains grêles, il masse sa gorge enceinte.

— Je ne comprends pas ce que vous dites, fait-il. Excusez-moi, mon français est très imparfait !

Je réprime mon hilarité.

— Cet Emmanuel Rolle fréquentait, voyait votre assistante, n'est-il pas vrai ?

Si je reste un poil de plus dans ce pays, je vais finir par apprendre le français, ce qui est un comble, car je suis obligé d'utiliser les termes les plus académiques de ma langue d'origine.

Le bonhomme fait un signe affirmatif.

— Il l'attendait, parfois, devant le magasin, dans un petit cabriolet noir.

— Souvent ?

— Pas plus qu'une fois à la semaine...

— Quel effet vous faisait-il ?

Il ne pige pas très bien...

J'explique :

— Quelle impression éprouviez-vous en le voyant ?

— Une impression favorable. Il était très

gentleman, j'ai été *very* surpris en apprenant l'horrible chose...

— Votre assistante, Martha Auburtin, était-elle une fille sérieuse ?

— Sérieuse ?

Je constate avec surprise que nos mots, chez nous, s'installent, prennent leurs aises dans la conversation, tandis qu'à l'étranger ils sont enfermés dans leur sens littéral. Par exemple, sérieux veut dire grave à Northampton, et c'est tout.

Une fille sérieuse, c'est une fille qui ne rigole pas, et non une fille qui n'a pas les jambes en brancards.

— Voyait-elle d'autres hommes ?

— Je ne m'occupais pas de sa vie privée...

— Cette discrétion vous honore, Mr heu... Standley, pourtant, de même que vous avez eu connaissance des relations Auburtin-Rolle, vous auriez pu, sans le vouloir, découvrir des relations Auburtin-X, vous pigez, pardon, vous entravez, Mr Standley ?

Il palpe son goitre comme on palpe un pneu de vélo que l'on gonfle. Mais la protubérance n'est pas à point car il hausse les épaules tristement et laisse retomber sa main.

— Non, je ne connaissais pas d'autres amis à Martha.

— Vous ne l'avez jamais vue en compagnie

d'un homme jeune, grand, blond, portant un gilet de daim ?

Il réfléchit.

— Je ne crois pas.

— Vous n'en êtes pas certain ?

— Je ne me souviens pas d'un homme répondant à ce signalement.

— Bon. Martha Auburtin est une fille comment ?

— S'il vous plaît ?

— Est-ce une bonne employée ?

— Très bonne.

— Sur le plan travail ?

— Très travailleuse...

— En somme, vous la regrettez ?

— Très beaucoup...

— Monsieur Standley, avez-vous encore en votre possession la lettre de démission de cette jeune fille ?

— Certainement.

— Puis-je vous demander de me la montrer ?

Il fait un signe affirmatif et s'éloigne dans son arrière-boutique. Tandis qu'il est absent, j'examine l'endroit, la *pharmacy* est vieille comme les rues. Il ne doit pas y avoir lerche de clients dans ce magasin. Les rayonnages sont poussiéreux, les bocaux sont constellés de chiures de mouches...

— *Now,* dit le goitreux, voilà la lettre.

Je me saisis du papelard et alors je rigole.

Comme un gland, je m'imaginais qu'elle était écrite en français. Inutile de vous dire que je ne pige rien de rien à cette missive.

— Puis-je la conserver ? je demande.

— *Sorry,* répondit-il, mais c'est une pièce dont je ne puis me dessaisir puisqu'elle m'apporte la démission de mon employée...

— Parfait. Mais gardez-la précieusement. Il se peut que la police anglaise vous la demande un de ces jours...

Il opine du bonnet.

— j'aimerais avoir l'adresse de Martha Auburtin...

— Je ne l'ai pas...

— Comment ? Elle ne vous la donne pas sur cette lettre ?

— Non, un oubli sans doute...

— En ce cas, donnez-moi son ex-adresse, celle d'ici.

— 14, Fidelity road.

J'inscris ça sur mon calepin-maison, celui qui a une couverture en moleskine noire.

— Très bien. Pardonnez-moi de vous avoir importuné, monsieur Standley.

Vous vous rendez compte un brin de la façon dont je jacte, maintenant ? Quand je vais rentrer à Pantruche, mes relations vont être siphonnées.

A propos de rentrer en France, il faut que je prévienne le chef, il doit commencer à croire

que je me suis fait naturaliser english ou que le
port de la soutane m'a converti.

Un grand coup de bada au père la pilule et je
les mets. A trois pas y a un bâtiment avec *Post
Office* écrit dessus. J'entre et à grand renfort
de dictionnaire, je demande la communication
avec Paris.

Il me faut un petit quart d'heure d'attente.
Enfin j'ai la voix du boss dans les manettes.
C'est pas que je la trouve radiophonique, mais,
dans ce bled, elle me fait l'effet d'une douce
musique de chambre.

— Allô, patron ?

— Ah ! c'est vous, San-Antonio, alors ?

— Eh bien ! ça y est, le petit copain a eu droit
à sa cravate.

— Pénible ?

— Un truc de ce genre n'est jamais rigolo,
mais ça ne s'est pas trop mal passé.

Je lui bonnis un compte rendu succinct de
l'exécution. Je parle de son murmure suprême
concernant son innocence. Je raconte l'histoire
de la môme Martha, la petite pharmacienne qui
se faisait payer à bouffer et à qui ses voisins de
table lançaient des messages.

— Et comme par enchantement elle a disparu, vous ne trouvez pas ça bizarre ?

Un court silence. Lorsque le patron la boucle, c'est que ça se bouscule à son carrefour
cérébral.

— Si, dit-il…

— Vous ne pensez pas, chef, que je pourrais m'occuper un peu de tout ça ? Je sais bien que le gars Emmanuel est viande froide maintenant, mais tout de même je bicherais si je pouvais découvrir la vérité.

— Vous croyez qu'il y a une vérité à découvrir ? demande-t-il.

Je le contre très sec.

— Je le crois autant que vous, patron.

Il ne dit rien. Il fout ça dans sa fouille avec son tire-gomme par-dessus.

— Ecoutez, San-Antonio, murmure-t-il, je vous accorde quatre jours de vacances, si vous voulez visiter l'Angleterre…

— Merci, patron.

— Seulement, je vous recommande la discrétion et même la prudence. Là-bas, vous l'avez vu, on ne plaisante pas avec les gens violents. Souvenez-vous qu'en cas de coup dur je ne pourrais rien pour vous. RIEN !

— C'est entendu, chef.

— Inutile de me rappeler… Simplement soyez ici dans quatre jours.

Il raccroche.

Cet homme, je le connais comme si je l'avais trouvé à côté de moi dans mon berceau le jour où j'ai ouvert les yeux.

Il m'a envoyé ici parce qu'il avait pigé que ça ne carburait pas normalement. Seulement c'est un monsieur qui tient à son grade et il ne voudrait pas que son cher subordonné ait maille à partir avec la police britannique.

M'est avis que je vais devoir marcher sur la pointe des tiges.

Tout en gambergeant à ces détails intérieurs de la maison poulaga, je parvins à la Fidelity road que m'a indiquée la postière. Le 14 est un petit pavillon de briques à deux étages. Devant se trouve un jardinet grand comme le Larousse illustré. Une grille cerne le tout.

Je tire la sonnette.

Une fenêtre, presque immédiatement, s'ouvre au rez-de-chaussée...

La bonne dame qui encadre sa physionomie par l'ouverture devait me guetter. Elle a dû servir de modèle au mec qui a dessiné la vignette figurant sur les bouteilles de Marie Brizard. Elle est vieille, avec des cheveux abondants, surmontés d'un chignon posé sur le sommet de la tête comme une pomme. Peut-être que c'est Mme Guillaume Tell, après tout ?

— *Excuse-me,* dis-je courageusement. *But I will speak with you...*

Ceci éructé, je m'éponge en me votant des félicitations car je sens que mon anglais s'améliore à toute pompe.

La vioque n'y a pas compris grand-chose, pourtant ma bouille ne l'effraie pas car elle vient ouvrir. Elle me pose une question que je renonce à me traduire.

— *I am french,* je murmure avec un beau sourire... Parlez-vous français ?

Elle me fait risette.

— *No*...

Je fais claquer mes doigts.

Impossible de tailler une bavette dans ces conditions...

Ah ! je m'en souviendrai de cette enquête. Si un flic ne peut pas poser de questions, c'est la fin de tout. Il n'a plus qu'à aller s'acheter une canne à pêche chez le premier marchand du coin.

Mais la dame n'est pas la moitié d'une truffe. Comprenant que nous ne pourrons avoir aucune conversation et curieuse comme une pie, elle use du même subterfuge que le taulier du *Lion Couronné*.

Elle traverse la rue et appelle :

— Grace ! Grace !

Une fille apparaît. Y a que les filles qui parlent le français, décidément, de ce côté de l'île... Probable qu'elles tiennent à pouvoir discuter le bout de gras avec les petits potes de chez nous lorsqu'ils sont en vadrouille dans leur bled...

La mère Marie Brizard tartine. Grace descend et s'approche. C'est une souris comme vous aimeriez en rencontrer une lorsque vous

sortez des Folies-Bergère, un soir que votre
bonne femme est chez sa vieille mère.

Elle est mince, blonde, avec des petits seins
qu'on a envie de recueillir dans ses mains en
creux, comme des petits oiseaux tombés du nid.
Elle porte les cheveux longs et pendants, à la
Françoise Hardy, vous voyez ? Elle a un visage
aigu, pas désagréable au fond, pas joli non plus,
mais curieux. Ses yeux marron sont vifs et
hardis... Sa voix est rauque et elle dépasse votre
tympan pour couler dans vos veines.

Un gentil petit lot, franchement.

— Vous êtes français ? questionne-t-elle.

— De père en fils, je rétorque.

— Mme Fig demande de ce que vous lui
voulez ?

— J'aimerais parler à Martha Auburtin...

— Martha Auburtin n'est plus chez elle
depuis plusieurs semaines.

— Je sais... Puis-je... obtenir sa nouvelle
adresse ?

Grace pose ma question à la mère Fig.

— Mrs Fig n'a pas sa nouvelle adresse...

Je me rembrunis. Tout ça est bien étrange.
Cette souris qui s'esbigne un beau jour sur la
pointe des pieds, sans crier gare, me paraît bien
étrange.

— Qu'a-t-elle dit en partant ?

Petit à petit, j'apprends tout : Martha est
rentrée du turf, un soir, très excitée. Elle était

en compagnie d'un jeune homme pilotant une auto...

J'interromps ma narratrice.

— Vous l'aviez déjà vu, ce garçon ?

— Non, jamais.

— N'était-il pas blond et ne portait-il pas un gilet en daim marron ?

— Si fait...

— Continuez...

Martha a dit à sa logeuse qu'elle était appelée au chevet de sa tante : air connu, voir le pharmago goitreux ! Elle a fait rapidement sa valoche et elle a mis les adjas en disant au revoir. Trois jours plus tard, la Marie Brizard a reçu une bafouille identique à celle du potard : Martha demeurait chez sa tante... Elle disait à la mère Fig de conserver sa malle jusqu'à nouvel ordre et qu'elle l'enverrait faire prendre à l'occasion.

— Cette malle est toujours ici ?

Grace demande la réponse. C'est oui.

Cette conversation a eu lieu dans la petite rue. La logeuse me regarde avec gourmandise, souriant éperdument lorsque mes yeux tombent sur elle. Ma traductrice, au contraire, conserve son sérieux. Sa voix rauque n'arrête pas de me faire frissonner.

— Ecoutez, lui dis-je, je suis commissaire de police à Paris, et je travaille ici avec l'accord officieux de la police anglaise. Je suis très handicapé parce que je ne parle pas votre langue... Aussi vous remercié-je pour votre précieux concours.

Elle a un bref signe de la tête.

— J'aimerais que vous expliquiez tout cela à cette brave Mme Fig et que vous lui demandiez pour moi la permission de jeter un petit coup d'œil à la malle de son ex-pensionnaire...

Grace baratine la vioque. C'est du gâteau. La logeuse pousse de petites exclamations très minaudières lorsque l'autre lui révèle ma profession.

Enfin, elle me fait signe de la suivre.

Je me tourne vers Grace.

— Puis-je encore abuser de votre temps, miss ? Il se peut que j'aie d'autres questions à poser à madame...

— Je suis en vacances, dit-elle...

Laconique, la gosse, mais gentille.

Nous franchissons la grille et filons le train à la mère Fig qui boitille comme toute une famille de canards...

La chambre de Martha est vide. La vieille explique par le truchement de sa jeune voisine qu'elle n'a pas retrouvé de locataire depuis.

Toutes les affaires de la jeune fille ont été par ses soins empilées dans une malle plate.

J'ouvre ladite malle et je me mets à l'inventorier soigneusement sous le double regard des deux mômes.

Elle ne contient que du linge, des chaussures, des objets de toilette.

Je tombe sur un vieux sac à main. A l'intérieur, il y a des épingles de sûreté, des papiers démaquillants, un tas de bricoles sans importance que la môme fourrait dans ce réticule dont elle ne se servait plus.

Je déballe néanmoins son contenu et bien m'en prend car, à l'intérieur d'une petite poche à fermeture-Eclair, je mets le nez sur un morceau de lettre. C'est la première moitié d'une bafouille ancienne, oubliée dans cette niche. Et je comprends pourquoi la gosseline l'avait déchirée, c'était pour conserver une adresse, bien que je ne pige pas l'english, je vois un numéro et je lis Custom Market.

— Pouvez-vous me traduire ceci, miss Grace ?

Elle s'empare de la feuille et lit :

Cher Mar,

Je suis obligé d'aller à Londres demain, mais tu pourras le rencontrer 122 Custom Market, à l'heure prévue. Il aura ce qui t'intéresse. Au sujet du vieux, je crois que tu as tort de croire qu'il ne...

La baveuse s'arrête là...

Je dis à la môme Grace :

— Voulez-vous me la relire une fois encore ?

Docile, elle obtempère...

Qui a écrit cette missive ? Qui est le type dont le rédacteur a soigneusement omis de dire le nom ? Qui est le vieux ?

Enfin, j'ai toujours une adresse.

— Custom Mark, c'est loin d'ici ?

— Dans la banlieue... Un autobus y mène...

— Ça vous ennuierait de m'indiquer le chemin à suivre ?

Elle secoue la tête.

— Voulez-vous que je vous accompagne ?

La proposition est formulée d'un ton paisible.

Je la regarde, elle me regarde bien placidement.

— C'est très gentil à vous ; mais je ne voudrais pas abuser de vos vacances.

— Les vacances ici n'ont rien de très drôle, murmure-t-elle.

— Alors je suis votre homme.

Je toussote car avec la façon qu'ont les Anglais de tout traduire littéralement elle va croire que...

Je m'incline très bas devant la mère Fig. Elle jacasse comme une perdue et Grace ne se donne même pas la peine de lui répondre, ni de traduire...

J'ai idée qu'elle n'est pas près d'oublier mon

intrusion dans sa bicoque, la Marie Brizard. Avant une plombe, tout le quartier saura qu'un french poulet est venu ramener son pique-bise dans le coinceteau.

Je referme la grille derrière moi.

Le ciel se bouche à nouveau et la nuit ne va pas tarder à nous tomber dessus avec sa chape de brume...

Putain de contrée !

Heureusement, la souris est gentille. Le bruit de ses hauts talons sur les pavetons, c'est une musique qui me plaît !

CHAPITRE V

*Où il est question d'un jardin,
d'un mouchoir, d'un bouton et du reste.*

Nous sommes assis face à face dans un bus poussif. Autour de nous, c'est plein d'une population laborieuse qui regagne son clapier, lisant les nouvelles qui ne la concernent pas avec des mines de clergyman triste.

Grace est gentille tout plein dans son imperméable. Elle a une chose qui me plaît énormément : cette gravité des Anglais.

Chez les autres, ça fait triste, mais à elle ça lui va bien. Comment vous expliquer, ça lui confère un petit côté romantique... Elle me plaît, cette gosse. Si elle n'avait pas l'air aussi sérieux, j'aimerais lui raconter l'histoire du petit gars qui apprenait à la fille du crémier à jouer au bilboquet-maison.

Je la reluque en loucedé. Elle se rend fort bien compte de la chose mais elle ne témoigne d'aucun sentiment.

— Vous connaissez cette Martha Auburtin ? je demande...

— Oui, dit-elle, à plusieurs reprises j'ai pris le thé en sa compagnie chez Mme Fig.

— Quelle sorte de fille est-ce ?

— Intellectuelle tourmentée...

— Jolie ?

— Très jolie, mais pas en admiration devant un miroir... Elle avait des idées sur tout, sauf sur la mode. Elle s'habillait à la diable, sans recherche, sans idée, même...

— Sérieuse ?

— Je l'ignore... En tout cas elle ne recevait personne chez elle.

Un pâle sourire égaie son visage crispé.

— Mme Fig ne l'aurait du reste pas toléré...

— Et vous ? j'attaque...

— Moi, quoi ?

— Que faites-vous, dans la vie ?...

Elle hausse les épaules.

— Je vis, dit-elle.

— Très bonne réponse, on dit un truc de ce genre dans le *Roi de Thulé*. Du moment que vous êtes en vacances, c'est que vous exercez un métier, non ?

— Je suis secrétaire...

— Vous tapez à la machine ?

— Avec dix doigts, oui... Il y a au-dessus de ma tête un tube au néon, et sous mes pieds une carpette en caoutchouc...

Elle n'a pas du tout l'air satisfaite de sa condition.

— Où avez-vous appris le français ?

— Dans les livres, puis en France... Le système des correspondants au pair, vous savez ?

— Vous connaissez Paris ?

A la façon dont elle répond « oui », je comprends que non seulement elle connaît, mais encore qu'elle regrette.

— C'est gentil de m'accompagner. C'est par distraction ?

— Exactement.

C'est net, elle n'a pas du tout envie de se laisser baratiner.

J'essaie sournoisement de lui coincer une patte entre les miennes, mais elle se dégage doucement, gentiment presque, afin de ne pas me vexer...

Je bigle alors mon voisin de gauche. Il est morne comme un hareng pas frais... Il lit son canard en posant le nez dessus.

Je réprime un bâillement.

— C'est encore loin, Custom Market ?

— Non, prochaine station...

Je sors une gitane de ma poche. Je vais pour allumer, mais elle me stoppe.

— Défense de fumer !

— Charmant, je bougonne, est-ce qu'on a au moins la permission de regarder les jolies filles ?

Elle détourne les yeux.

Ah ! l'Angleterre, je vous jure !

On longe le mur interminable d'une usine et on débouche sur une grande place sans vie où le brouillard coule comme du lait sale.

— Nous y voici !

Je m'efface pour la laisser passer et je saute du bus.

— C'est Custom Market ?

— Oui...

— Bon, il ne reste plus qu'à dénicher le 122.

Je n'ai pas fini de parler que je sursaute. Le hasard a bien fait les choses : l'arrêt de l'auto-bus est pile devant.

Je regarde la maison de briques, pareille aux autres, qui se dresse devant nous. Les volets sont mis ; aucune lumière ne filtre...

Au fond, pouvez-vous me dire ce que je viens renifler là ? Et, pendant que vous y serez, pourrez-vous me dire aussi ce que je maquille autour de la miss Auburtin ? Elle ne m'a rien fait, cette souris... Tout ça c'est du vent... Je ferais mieux de retourner *to London* et de cramponner le prochain zoiseau pour la France... Les petits bistrots de Paname, les bonnes voix de Paname, l'odeur de Paname, tout cela me manque d'une façon presque insupportable. Je suis comme un poisson d'eau douce qu'on larguerait en plein Atlantique. Je me sens mal à l'aise et perdu.

— Que faites-vous ? demande ma compagne.

Elle me met dans l'obligation d'agir par cette simple question.

Je tire sur la chaîne pendue à côté de la grille.

Une sonnette grelotte quelque part... Rien ne répond. Ce coup de sonnette, c'est vraiment une formalité, car la baraque sent l'inhabité.

— Personne, fais-je.

— *Nobody,* répète-t-elle...

Je mets mes yeux dans les siens, perplexe. Elle ne bouge pas, car c'est une fille qui respecte les hésitations d'autrui.

— Voulez-vous me rendre un nouveau service, miss Grace ? je demande.

Ses châsses répondent oui.

— Demandez donc aux voisins qui habitent cette maison, et tâchez d'accumuler le maximum de tuyaux sur le locataire en question... Ça ne vous ennuie pas de jouer les détectives ?

— Au contraire, ça m'amuse...

Elle a dû s'alimenter au Peter Cheney, cette momaque. La voilà partie, piaffant.

Machinalement, je chope la poignée de la grille et je tourne. Stupeur profonde : la lourde s'ouvre.

J'entre dans un jardinet coquet où l'herbe commence à réclamer la tondeuse...

Je gravis les deux marches du perron, je tabasse à la porte. Mes fesses ! C'est le grand silence...

J'essaie d'ouvrir mais y a pas mèche... Cette lourde-là est aussi fermée que l'esprit d'un gardien de la paix.

Je fais le tour de la cambuse : des clous ! Pas moyen d'introduire le moindre bout de regard à l'intérieur. Notez que j'ai mon petit Sésame sur moi — ouvre-boîte diplômé S.G.D.G. — seulement je me rappelle les paroles du chef : « Pas d'histoires ! Vous êtes en Angleterre et en cas de pépin je ne peux rien pour vous. » Donc je dois gaffer vilain pour tenir mon nez propre. Emmanuel Rolle m'a prouvé que les tours d'à-l'œil ne payaient pas.

Comme j'arrive derrière la cambuse, je découvre un mouchoir. Il est roulé en boule et porte des traces de rouge à lèvres. C'est un mouchoir de gonzesse.

Je le ramasse et l'examine ; il ne porte pas d'initiale. A tout hasard je le colle dans ma profonde.

Le derrière de la maison est constitué par un minuscule potager où en les serrant vachement on arriverait à planter une demi-douzaine de choux.

Je constate que l'on vient de remuer la terre et d'y faire des semis. C'est surprenant, étant donné l'abandon du devant.

Je reste debout devant ce jardinet.

Un haut mur l'entoure. Au fond s'élève un petit appentis. J'y vais. Quelques outils : une bêche, une pioche, un râteau... J'examine la bêche et je constate qu'elle est maculée, au manche, de taches noirâtres qui m'ont bel et bien l'air d'être du sang.

Je l'empoigne et je retourne dans le jardinet, juste à la planche de semis.

Le proprio va faire une drôle de cerise en revenant lorsqu'il découvrira que ses salades romaines ont été retournées. Du coup il le sera aussi.

San-Antonio, vous pouvez le constater, c'est un vrai chien de chasse. Il a le nez tellement creux que, sans forcer, on arriverait à y loger une famille de douze membres avec leurs meubles.

Voilà comme je suis, mes aminches : j'entre, je regarde, je hume et j'éprouve un picotement. Me voilà en train de jouer les chiens ratiers...

Un mec qui me verrait et qui aurait un appareil photo pourrait prendre un cliché pour servir de couverture aux graines Vilmorin.

J'ai un petit côté : « le jardinage chez soi » qui ravirait une vieille fille à marier.

Et je te creuse, et je te retourne la glèbe.

La glèbe !

Vous bilez pas si j'emploie des mots aussi calés, c'est uniquement un exercice de style !

La glèbe britannique ! Sujet de conférence pour les *Annales*.

Y aurait long à tartiner là-dessus. Et avec une suite, mes enfants ; une suite qui pourrait s'intituler : l'Angleterre, pays des morts étranges...

Aux suprêmes lueurs du jour — un jour tellement malade que ça ne vaut plus la peine d'en parler — je découvre un soulier de femme. Drôles de semis, hein ? Peut-être qu'on plante des godasses dans ce patelin, histoire de récolter des tatanes.

Seulement, lorsque je tombe sur le pied qui va dans la godasse, sur la jambe qui surmonte le pied, sur le corps qui surmonte la jambe et sur la tête qui couronne le tout, je me dis que, cette fois, plus la peine de se chercher des raisons. Le mec qui a planté ce corps dans son jardin n'attend pas qu'il monte en graine. Il a mis les adjas presto et sa carrée est à louer...

Je frotte une allumette et me penche au-dessus de la fosse. La souris défunte devait être jolie avant que les petits asticots s'occupent d'elle. Sans jeu de mots, car il serait atroce comme on dit dans les milieux chics, elle a de beaux restes !

Comme l'allumette s'éteint, j'entends un bruit de pas sur le gravier. C'est ma petite interprète qui la ramène. Elle me regarde avec surprise, s'avance et se penche au-dessus du trou à son tour.

— C'est Martha Auburtin, n'est-ce pas ?

— Oui, dit-elle...

Elle met la main devant sa bouche et se recule. Elle manque d'entraînement, Grace.

— Comment avez-vous deviné que c'est elle ? demande-t-elle.

Je montre le mouchoir.

— Voici un mouchoir que j'ai ramassé dans le jardin. Un mouchoir de femme. Il n'a aucune initiale, et il n'est pas parfumé... Un mouchoir de femme non coquette...

Elle approuve du bonnet et, pour la première fois depuis que je l'ai vue, quelque chose qui ressemble à de l'admiration se manifeste sur sa physionomie.

— Il faut appeler la police, dit-elle.

— *O.K.*, fais-je, mais, s'il vous plaît, pas celle du bled. Je n'ai pas le temps à perdre avec des types qui m'interrogeront alors que j'ai, moi, tant de gens à questionner. C'est le Yard que je vais alerter, avec votre concours, du reste, puisque, décidément, je vous mobilise...

Je reporte les outils au fond du jardin, dans le minuscule appentis. J'y découvre un rouleau de carton goudronné et je l'amène près de la sépulture afin de la recouvrir.

Comme je commence ce turf, j'aperçois la main droite de la morte serrée contre sa poitrine. Elle paraît tenir quelque chose contre son sein. Je lui ouvre les doigts, ce qui est un sale

travail car il me semble que je manœuvre une
statue de marbre. Du marbre, non! Plutôt du
bois. Ça craque sinistrement, mais je parviens à
lui arracher sa proie : il s'agit d'un bouton... Un
simple bouton en corozo qui faisait partie de
son tailleur et qu'elle a arraché je ne sais
pourquoi, dans quel but ou par quel réflexe ?...

Je mets cet innocent bouton dans la poche de
mon gilet.

— Bon, on peut se tailler maintenant, dis-
je... Allons dans un pub pour téléphoner à
Londres...

Grace marche tête basse.

— Elle a été assassinée ? demande-t-elle.

— J'ai tout lieu de le croire bien que je n'aie
vu aucune plaie... Mais comme on n'a pas
l'habitude de mettre dans son jardin les gens
morts naturellement...

Il fait nuit noire et le brouillard a repris
possession de cette partie de l'univers. Nous
marchons côte à côte, abîmés en nos pensées...

Elle est à la hauteur, Grace. Dans un cas
comme celui-ci, une autre souris aurait fait un
méchant chabanais, se serait trouvée mal et
aurait appelé à la garde !

— Ça vous fait une sale impression, non ? je
demande brusquement.

Elle répond, d'un ton morne.

— C'est très pénible, en effet...

— Vous n'aviez jamais vu de morts ?

— Non…

— Mes compliments, vous avez bien tenu le coup…

« Au fait, vous avez obtenu des renseignements, sur le locataire de la maison ?

— Oui…

— Je vous écoute…

— Il s'agit d'un certain Higgins. Il a loué le pavillon voici trois ou quatre mois. Il est voyageur de commerce et ne l'occupait presque jamais.

— Comment est-il, Higgins ?

— Taille moyenne. Il a les cheveux grisonnants.

— Il recevait des visites ?

— Martha quelquefois, et un jeune homme blond… J'ai compris à la description qu'on m'a faite qu'il s'agissait de Martha…

— Où travaille-t-il ?

— Les voisins l'ignorent. Il ne parlait à personne… Il venait, il restait un jour ou deux, puis repartait pour une semaine…

— Il se déplaçait comment ?

— En voiture. Une Hillmann décapotable rouge vif…

— Bravo, je murmure, vous avez des dons certains, mon petit…

Elle a une petite moue de modestie.

Trois marches : nous poussons la porte d'un pub. Dans ce pays, il y a toujours des marches à monter ou à descendre pour accéder quelque part.

Nous nous installons au bar.

— Que buvez-vous ? je m'informe poliment.

— Comme vous, dit-elle.

— Moi ce sera du whisky...

— Moi aussi...

— Moi c'est un double.

— Alors deux doubles...

— Votre petit cœur est à l'envers ?

— Il y a de ça, oui...

Le barman nous présente deux verres dans lesquels il a laissé juste assez de place pour un cube de glace. Nous buvons avec délectation... Une musique douce joue en sourdine un petit air qui ne vient pas d'Amérique mais bel et bien de France... Ça me fait presque autant de bien que l'alcool...

— Si on téléphonait ? je suggère... Remarquez, rien ne presse, au point où en sont les choses...

Elle saute de son tabouret.

— Suivez-moi.

Nous pénétrons dans une étroite cabine au fond de l'établissement.

— Vous allez demander Scotland Yard, fais-je. Une fois que vous l'aurez, réclamez l'inspecteur Brandon, pour le commissaire San-Antonio. Je lui parlerai moi-même : il comprend ma belle langue.

Grace approuve. Elle se met à jacter à la standardiste.

Dans cette étroite cage de bois, je me sens tout chose. La chaleur de la fille, son discret parfum, son odeur de blonde me montent directo dans le mirador.

Nos deux corps sont pressés l'un contre l'autre et je sens que si la communication tarde, il va arriver quelque chose dont la conclusion pourrait bien être une tarte sur la gueule du San-Antonio des familles.

Grace parle, se tait, jette un mot à nouveau... Sans doute, au Yard, lui dit-on de patienter...

Enfin, elle me tend l'écouteur.

La passoire d'ébonite a l'odeur de son rouge à lèvres... L'odeur de son haleine...

Elle veut sortir par discrétion, mais, me payant de culot je la retiens et la plaque contre la cloison. Elle ne bronche pas, n'a aucune réaction, simplement sa poitrine se soulève un peu plus vite, un peu plus fort.

— Allô ! lance une voix lointaine.

— Brandon ?

— *Yes*...

— Ici commissaire San-Antonio...

— *All right !* Comment allez-vous, cher collègue ?

— Mieux que Martha Auburtin...

Il laisse glisser une caravane de pointillés. Puis :

— Il lui est arrivé malheur ?

— Plutôt... Elle est enterrée dans le jardin d'un certain Higgins, 122 Custom Market...

— Vous dites ?

Un peu soufflé, le serviteur de la première police mondiale.

— Comment avez-vous découvert ?

— Au pifomètre...

— Quel est cet ustensile ?

Je rigole.

— Une spécialité française, mon bon.

« J'ai voulu interviewer cette fille. Mais elle avait disparu. Je me suis donné la peine de la chercher. Et voilà. Seulement, soyez gentil. Je tiens à rester en dehors du coup, occupez-vous de cela. D'accord ? Mon temps est très limité et j'ai tellement de choses à voir pour aller jusqu'au bout.

— Qu'appelez-vous jusqu'au bout ?

— Jusqu'à la vérité. Je sais, et vous en avez la preuve, qu'il y a un truc carabiné sous ce banal accident causé par Rolle... vous verrez, Brandon. Vous verrez qu'on découvrira un vache pot aux roses, un de ces quatre...

— Un quoi ?

Je soupire... Non, décidément, je ne pourrai jamais m'acclimater dans ce patelin...

— Vous arrivez ici ?

— Immédiatement.

— Peut-être vous rencontrerai-je, dis-je. Vous descendez où ?

— Eh bien ! mais... à l'hôtel du *Lion Couronné,* après tout...

— D'accord, si je ne puis y passer je vous laisserai un message, Brandon.

— Vous comptez partir ?

— Je ne sais pas...

— Puis-je vous demander quels sont vos projets immédiats ?

— Boire un double scotch...

— Alors à votre santé, commissaire...

Je pose l'écouteur sur sa fourche.

Grace est toujours là, tout près, immobile, à respirer fortement.

Je la regarde comme un gars regarde une fille de qui il a envie.

Elle sent le danger et ouvre la porte.

Nous sommes très rouges, l'un et l'autre, lorsque nous arrivons au bar.

— Deux doubles, dis-je d'une voix assurée pour cacher mon trouble.

CHAPITRE VI

*Où il est question d'un garagiste
qui connaît son métier et d'un mec
surnommé San-Antonio
qui ne fait pas toujours le sien !*

Nous lichons nos glass en silence. L'heure tourne, le disque aussi et sûrement la calbombe de la môme Grace aussi car elle vide ses godets comme un brave. Mais elle tient le choc et ça n'est pas tout de suite qu'elle s'écroulera.

Moi, je fais un tour d'horizon en privé.

Jusqu'ici, j'ai trois personnages dans cette histoire : Martha Auburtin, la compagne hebdomadaire de Rolle ; le grand blond au gilet de daim qui semble avoir fait du contrecarre à ce dernier, et Higgins, le locataire de la maison dont le potager sert d'annexe au cimetière de Northampton.

De la première, je sais plusieurs choses ; qu'elle travaillait dans une pharmacie ; qu'elle n'était pas coquette ; qu'elle a prétexté un départ subit et surtout qu'elle est morte.

Du second, je sais qu'il porte un gilet de daim marron et qu'il est jeune, grand et blond.

Du troisième, je sais qu'il s'est fait appeler Higgins et qu'il possède un cabriolet Hillmann rouge.

Avec ces détails, il va falloir que je poursuive mon petit bonhomme de chemin dans le brouillard, sans parler l'anglais...

Je tourne vers Grace un regard lourd de réflexions rentrées.

— Bon, dis-je, il se fait tard. Je suppose que vous avez envie de rentrer chez vous, non ?

Elle ne me regarde pas mais répond :

— Non.

C'est sec comme un coup de trique.

— Enfin, bougonné-je, je ne vais pas vous trimbaler à mes trousses jusqu'à perpète, non ?

Bien entendu, elle ne peut traduire une phrase aussi particulière et dont aucun dictionnaire ne lui donnera jamais la signification, mais elle en perçoit le sens général.

— Si je vous importune, fait-elle, c'est différent.

Elle glisse de son tabouret.

— Bonsoir. C'était très intéressant.

Déjà elle se dirige vers la porte du pub.

— Hé ! Attendez ! crié-je... Vous n'allez pas vous mettre à faire des complexes ! Je ne demande pas mieux que de vous avoir avec moi, sans vous, maintenant, j'aurais l'impression de me trouver seul au milieu d'une tribu papoue.

— Alors ?

— Ben, seulement j'ai des scrupules...

— On m'a toujours dit que les policiers n'en avaient pas...

Elle ne se laisse pas monter sur les targettes.

— Voulez-vous parier que je suis l'exception confirmant la règle ? Mes scrupules font partie de convenances. Je me disais que, peut-être, vous aviez quelqu'un qui vous attend.

— Personne ne m'attend.

— A votre âge, c'est anormal...

— Vous trouvez ?

— Et comment, je trouve !

— Mes parents sont morts...

— Et les garçons d'ici, ils font quoi, après le boulot, de la broderie ?

— Plutôt du ping-pong...

Je la boucle. Inutile de piétiner la virilité des naturels de l'endroit. Du reste, leur virilité, elle me paraît assez mal en point comme ça !

— C'est bon, fais-je. Suivez-moi.

En sortant du bar, je suis surpris par l'humidité. La ville n'est plus qu'une monstrueuse éponge. Je me fais l'effet d'un microbe paumé dans le poumon d'un pleurétique.

— Où allons-nous ? demande Grace...

— Attendez un instant, Trésor...

Il me vient une idée... Une idée motorisée...

— Les autos stationnent-elles dehors, la nuit ?

— Non, fait-elle, à cause du brouillard c'est interdit...

— *O.K*...

Donc, Higgins devait bien carrer son tréteau quelque part lorsqu'il pieutait ici ? Comme il n'y a pas possibilité de garer une voiture dans l'étroit jardinet, j'en conclus qu'il remisait son os dans un garage... Et certainement dans le garage le plus proche de son domicile, c'est normal, non ?

— Faites une chose, Grace, je murmure. Demandez au premier pignouf l'adresse du plus proche garage...

— Entendu.

Avisant un policeman en faction à un carrefour, elle lui pose la question. Le flic se met à tendre le bras en proférant des paroles certainement précises.

— Venez, me dit Grace lorsqu'elle a remercié le zig d'un bref *thanks*.

Ça s'appelle le garage *Excelsior,* comme n'importe où !

C'est un garage de dimensions assez modestes.

Grace m'entraîne vers un box vitré, sur la droite.

On voit de la lumière. Là-dedans, il y a un

petit type brun au nez busqué qui fume des cigarettes en potassant un catalogue.

Je frappe.

— *Come in !* lance le type.

J'entre dans l'aquarium. Il y fait chaud et ça sent bon le pneu neuf. Ça me flanque la nostalgie de ma bagnole.

— *Good night,* fais-je.

Je me tourne vers Grace.

— Voulez-vous demander à monsieur s'il a eu un Higgins comme client ?

Un éclat de rire retentit. C'est le garagiste qui se fend le parapluie.

— Sans blague ! crie-t-il, un Français !

Il a l'accent de Belleville.

— T'es français ? je demande, ahuri...

— Un petit peu, mon neveu !

On s'en serre dix sous les yeux surpris de la jeune fille.

Le gars se raconte de haut en bas : il est venu ici après Dunkerque, une balle dans la cheville l'avait rendu bon à nib pour la castagne. Il a été soigné à l'hosto de Northampton par la fille d'un garagiste, une gonzesse choucarde qui lui plaisait. Comme il aimait les taches de rousseur et la mécanique, il l'a épousée toute vive. Depuis, le vieux a canné et il est propriétaire du garage.

— Moi, tu vois, dit-il, je suis comme les castors, j'ai fait ma maison avec ma...

Je l'interromps presto afin d'éviter à la môme Grace de jouer la grande scène de la pudeur.

— Et toi ? demande-t-il.

Je lui montre ma carte.

— Merde ! fait-il. Un poulet !

Il se reprend presque aussitôt.

— Vous m'excuserez, commissaire.

— Oh ! fais pas de giries parce que je suis de la grande maison, mon pote. En ce moment y a deux gnaces de Pantruche qui se congratulent...

Je le botte.

— Amène-toi, dit-il, péremptoire, on va déboucher un petit Pouilly. Je le fais venir directo de la propriété. Tu verras, c'est pas de la tisane.

Et nous voilà partis à travers les voitures, jusqu'aux appartements de mon compatriote, lequel, soit dit entre nous, s'appelle Alexandre Tupin.

Il nous reçoit dans une salle à manger tout ce qu'il y a de pompelard et il va chercher une bouteille.

En la débouchant, il frétille.

— Tu parles d'un pot ! Ça fait une génération que j'ai pas vu un Parisien ! annonce-t-il... Ce que c'est bon d'entendre l'accent de là-bas. Dis voir, la Butte est toujours à la même place ?

— Oui, jusqu'à la prochaine expérience atomique, dis-je.

On cause du patelin, puis soudain, alors qu'il refait une tournée :

— Et à propos, qu'est-ce qui t'amenait dans ma cathédrale, t'as besoin d'une guinde ?

Je secoue la tête...

— D'un tuyau seulement.

— D'échappement ?

Il a de l'esprit, vous voyez... Ce pote doit s'endormir avec un almanach Vermot comme oreiller, nature !

— Dis donc, Alexandre, tu n'aurais pas eu comme client un certain Higgins, il y a quelque temps ?

Il réfléchit.

— Attends voir... Non, je ne pense pas...

La déception me flétrit l'œsophage.

— Tu comprends, continue-t-il, leurs blazes j'y fais attention le moins possible... C'est tellement duraille à retenir... Tu dis, Higgins ?

— Oui...

— Oh ! c'est possible après tout... Il est comment, ce pèlerin ?

— C'est ce que je voudrais savoir...

Il devient grave.

— Ah ! bon. C'est pour du sérieux ?

— Je crois que oui.

— Et il avait quoi comme bahut ?

— Une Hillmann rouge, cabriolet.

Il saute sur sa chaise comme si on y avait versé une bonbonne de fluide glacial.

— J'y suis... Oui, une Hillmann rouge... Higgins, c'est ça... Un costaud avec les cheveux gris.

— C'est bien ça...

— Alors ? poursuivit-il.

— Parle-moi de lui.

— J'aimerais mieux te parler de Tino Rossi. Je sais rien... C'est un client comme ça : il vient, il part : une vidange-graissage ; un lavage, tu vois le topo ?...

— L'as-tu vu en compagnie ?

— Non. Je ne me rappelle pas...

— Tu ne vois pas un fait quelconque, même anodin, qui permettrait de le retrouver ?...

— Facile. J'ai son adresse sur mon livre, c'est Custom Market, je crois... Devant l'arrêt du bus, j'avais remarqué...

— Ça, je le sais. Seulement il s'est tiré et j'aimerais savoir où on peut le repêcher...

Il lève les bras et les laisse retomber.

— Tu m'en demandes trop !

Je renonce à lui tirer quoi que ce soit et je l'aide à finir la bouteille.

Comme je me lève, suivi dans mes moindres gestes par Grace qui a tendance à devenir mon ombre, il se met à barrir...

— J'ai une idée...

— Une idée ?

— Pour ton zigoto...

Je le regarde avec appétit.

— Vraiment ?

— Ecoute. Un jour, il a claqué sa bobine en voyage ; il est rentré avec une bobine prêtée par un de ses collègues, m'a-t-il dit. Il m'a demandé de la remplacer et de réexpédier la bobine prêtée à son possesseur. Et je me souviens du nom et de l'adresse du gars. Il s'appelait Tone et il crèche à Bath... C'est ce nom : Bath, qui m'a fait rigoler... Il paraît que c'est près de Bristol...

Je répète :

— Tone, à Bath ?

— Oui, oui...

Après tout, ça peut m'aider à retrouver Higgins.

J'inscris ces deux noms sur mon carnet et je prends congé du garagiste.

— Que pensez-vous de tout ça, Grace ?

Elle règle son pas sur le mien... Je suis presque gêné par sa docilité. On peut dire que c'est une femme qui marche au doigt et à l'œil.

Des femmes qui marchent au doigt, on en trouve plein les internats de jeunes filles. Mais des femmes qui marchent à l'œil, c'est déjà plus rare.

— Je ne pense rien, dit-elle... je me laisse aller... Il me semble que je vis un roman. Tantôt, j'étais chez moi, je me préparais à sortir... Ce que j'allais faire ? Je ne le savais pas : sans doute errer le long des rues, ou bien aller au cinéma...

— Vous n'avez pas faim ? Moi, je tombe d'inanition... de sommeil aussi, ça fait quarante-huit heures que je n'ai pas fermé les yeux...

— Il y a un poulet froid à la maison...

— C'est une invitation ?

— Qu'en dites-vous ?

— Je l'accepte sans façon. On achète de quoi l'arroser, ce poulet, et puis un gâteau. J'ai jamais bouffé de pudding, il paraît que ça se laisse manger ?

Nos emplettes faites, nous regagnons sa carrée. Elle occupe un minuscule appartement : un studio, une cuisine et un cabinet de toilette. Le tout est propre, gentiment meublé, mais sans âme. Cette fille est détachée des biens de ce monde.

— Vous n'avez pas peur que je vous compromette ?

— Je me moque du qu'en-dira-t-on, fait-elle. C'est bien ainsi qu'on s'exprime, chez vous ?

— Oui...

Je déballe la camelote tandis qu'elle dresse le couvert.

La radio joue un petit air à base de cornemuses. Un air rouillé et grinçant qui fait mal aux oreilles mais qui égaie le cœur.

En face, il y a de la lumière chez la mère Fig...

En face, il y a l'appartement vide de Martha Auburtin, sa malle...

Quelque part, dans la ville, au milieu du brouillard, se dresse un pavillon que, dans quelques heures, on appellera « la maison du crime ».

— Vous avez l'air triste, fait-elle observer...

— Bast, c'est le climat, sans doute...

La bonne chère, y a que ça pour retaper le moral d'un bonhomme. Lorsque j'ai fini ma seconde aile de poulet et bu mon troisième verre de Châteauneuf, je sens que mon optimisme va faire du rabe.

— Ecoutez, Grace, il faut être franche avec moi. Nous sommes en sympathie, alors dites-moi tout...

— Que voulez-vous savoir ?

— Ce qui vous tourmente... On dirait que vous souffrez d'une peine cachée.

— C'est vrai, reconnaît-elle.

— Je peux la connaître ?

— Oh ! il n'y a rien de très original : j'aimais un jeune homme...

— Et il vous a laissé quimper ?

— Non. Il est mort...

Je baisse la tête ; d'accord, c'est moche... Une gerce qui a du crêpe autour du cœur, ça fait tout de suite pénible.

Elle va s'asseoir sur un divan et rêvasse. Je sors une gitane, mais, au lieu de l'allumer je la pose sur mon assiette.

Au bout d'une hésitation, je la rejoins.

Je m'assieds à ses côtés ; je passe mon bras par-dessus son épaule et je l'attire contre moi. Elle oppose une résistance de trois secondes puis elle se laisse aller.

— Je n'aime pas que les jolies filles aient du chagrin, dis-je. Vous entendez, mon chou... Je ne peux pas le supporter.

Elle blottit sa tête contre ma poitrine.

— Grace, je sens que j'ai un terrible béguin pour vous. Vous ne savez peut-être pas ce que ça signifie, « un béguin » ? Tant pis, je ne chercherai pas à vous traduire...

Je lui lâche l'épaule et, dans mes deux mains je saisis sa tête. Sa bouche maintenant se trouve à moins de trois centimètres de la mienne, le voyage n'est pas long.

Elle a peut-être du chagrin, mais elle embrasse bien. Du reste, c'est une constatation que j'ai faite souvent : une femme dans l'ennui embrasse mieux qu'une autre. Sans doute metelle plus de passion dans le baiser qu'une autre plus frivole...

Je la renverse sur le plume. Elle se laisse aller, elle est molle et ferme à la fois...

CHAPITRE VII

Où il est question d'un accidenté
qui a la vue basse

Il fait jour lorsque je m'éveille.

Le bruit d'un moulin à café fracasse mon engourdissement. Je tâte le plume autour de moi et mes doigts avides ne rencontrent que le creux laissé par le corps de Grace.

Alors je me mets sur mon séant.

Elle est en train de préparer le déjeuner. Décidément, c'est une môme de première classe.

— Bien dormi ? gazouille-t-elle.

Elle sourit. Ça a l'air mieux sur le chapitre de la mélancolie. M'est avis que la petite séance de cette nuit lui a été salutaire, comme une cure à Vichy est salutaire aux hépatiques.

Croyez-moi, les grognaces ont toujours un moyen radical de surmonter leurs dépressions.

— Heureuse ? je demande sans une ombre de modestie...

Elle rougit délicieusement.

— Oui, murmure-t-elle...

Cet hommage étant rendu à mes possibilités, je me sens d'attaque.

Rapidement, j'organise le programme immédiat.

— Dis-moi, chérie, tu m'accompagnes toujours ?

— Oui !

Elle l'a presque crié et elle a même failli le dire en anglais pour aller plus vite.

— Bravo ! Tu vas aller téléphoner à mon petit copain d'hier : le garagiste français. Dis-lui que j'ai besoin d'une auto pour un jour ou deux et qu'il m'en loue une rapidement. Qu'il la fasse amener ici par un de ses employés...

*
**

C'est pas marrant de conduire à gauche lorsqu'on a passé sa vie à rouler à droite...

Ça me fait un drôle d'effet. Aussi ne forcé-je pas l'allure.

— Où allons-nous ? demande Grace. A Bath ?

— Pas encore, dis-je. Auparavant j'ai quelqu'un à voir. Tu connais Ayat ?

— Oui. C'est un petit village pas très loin d'ici...

En effet, il ne nous faut pas longtemps pour atteindre le bled.

A l'entrée du petit bourg, j'avise un maréchal-ferrant occupé à mettre des pompes neuves à un vieux bourrin.

— Demande-lui où habite M. Duggle, ordonné-je.

Grace parlemente.

— C'est la première maison avant d'arriver à l'église...

J'embraye...

La dernière maison est une maison comme les autres. C'est inouï ce qu'on a le goût de l'uniformité dans ce patelin. Toujours de la brique et des jardinets avec cadavre ou avec rosiers...

Une pancarte se balance au-dessus de la porte.

— Qu'y a-t-il d'écrit, là-dessus ?

— Duggle, radio-électricité, lit-elle.

Nous pénétrons dans la turne.

La porte ouvre sur une grande pièce encombrée de postes de radio et d'ustensiles multiples.

Au fond de la pièce, près d'une fenêtre, se tient un homme derrière un établi. Il bricole sur un poste. Il est petit avec un regard fatigué, des membres trop longs et un commencement de bosse. Il peut avoir une quarantaine d'années.

— Tu vas lui expliquer que je viens au sujet de l'accident dont il a été victime il y a quelques

mois ; j'aimerais qu'il me le relate très succinc-
tement...

Mon interprète particulière — ô combien
particulière ! — y va de son laïus.

Contrairement à ce que j'espérais, Duggle
répond par trois ou quatre mots assez secs.

— Que dit-il ? je demande...

— Il veut savoir qui vous êtes...

— Répondez-lui que je suis un enquêteur
français, que je travaille pour une compagnie
d'assurances susceptible de le dédommager...

Elle bonnit tout ça au demi-bosco. Ça n'a pas
l'air de l'exciter outre-mesure. Je croyais que
l'appât du gain le mettrait en train, mais mes
choses ! Il est méfiant comme une fouine. Je
n'aime pas son œil fuyant, non plus que le reste
de sa personne.

Il baragouine encore une demi-douzaine de
syllabes.

J'interroge Grace du regard.

— Il dit que vous n'avez qu'à vous adresser à
la police anglaise pour avoir communication du
dossier où sont consignées toutes ses déposi-
tions...

J'enrage. Si au moins nous parlions la même
langue, lui et moi, j'aurais vite fait de lui sortir
ses quatre vérités, en admettant qu'il en ait
quatre à ma disposition.

Je force le ton pour qu'au moins il pige bien
que je suis en renaud.

— Dis à ce peigne-cul que s'il ne veut pas parler, je reviendrai en compagnie d'un inspecteur du Yard... Dis-lui également que, s'il a des doutes, il peut téléphoner à l'inspecteur chef Brandon qui doit se trouver présentement à l'auberge du *Lion Couronné* à Northampton... C'est lui qui était chargé de l'enquête...

J'attends les résultats de la traduction.

Il me paraît que Duggle vient à des sentiments plus amènes.

Cette fois il en crache pendant cinq bonnes minutes d'horloge.

Grace l'écoute attentivement, la mâchoire serrée.

— Voilà, dit-elle. M. Duggle roulait à bicyclette sur la route Ayat-Northampton...

— Tiens, fais-je, je m'étais imaginé que l'accident était un accident de doublage. Comment se fait-il que la collision ait eu lieu s'ils se sont croisés ?

— M. Duggle ne sait rien. Il a vu une voiture foncer sur lui, il y a eu un choc terrible, il a perdu connaissance. C'est absolument tout ce qu'il peut dire...

En effet, c'est maigre. Aussi maigre que lui...

— L'accident s'est produit de nuit ?

Ma question est transmise.

— Oui...

— Il avait ses phares allumés ?

Réponse :

— Non.

— Alors, s'il a vu l'automobile foncer sur lui, il a dû apercevoir le conducteur ?

Réponse :

— Oui.

— Il y avait quelqu'un à côté du chauffeur ?

Réponse :

— Personne.

Autant essayer d'arracher un discours sur l'art étrusque à une motte de beurre.

J'hésite : une idée idiote sans doute me trotte par la tronche.

Je chope Grace à part.

— Demande-lui s'il connaît une certaine Martha Auburtin.

Je guette le bonhomme sans qu'il s'en doute.

Lorsque le nom de la morte est prononcé, il bat rapidement des paupières comme une chauve-souris éblouie par la lumière. Ce signe-là ne trompe pas ; du moins il ne trompe pas un flic de mon espèce qui a appris à lire sur la bouille de ses contemporains mieux que dans son journal habituel. Duggle connaît au moins ce nom, Auburtin. Dans cette histoire tout se tient par les cheveux, c'est ma conviction profonde. Tenez, je vais faire un charmant jeu de mots (du moins c'est moi qui le dis) : oui, tout de monde est à tu et à toi.

Les victimes et les assassins ; les innocents et les coupables.

Quelle salade, ma douleur !

— C'est parfait, dis-je à Grace, laissons cet honorable électricien, maintenant...

J'adresse un sourire perfide au chétif et je fonce à l'extérieur.

Je fonce comme un bourrin qui se détache du peloton et qui sait qu'il franchira en grand vainqueur la ligne d'arrivée. Maintenant j'ai les cartes en main, la partie reste à jouer...

Deux objectifs seront à atteindre ; simultanément de préférence : primo, avoir une conversation avec Higgins ; deuxio, en avoir une autre avec le grand jeune homme au gilet de daim.

— Allez, fillette, dis-je à Grace, cette fois on met le cap sur Bath.

DEUXIÈME PARTIE

CHAPITRE VIII

Pas si Bath que ça !

Non, Bath n'est pas si bath que ça et surtout pas aussi petit que je ne me l'étais imaginé d'après les dires de mon compatriote, le garagiste de Northampton.

C'est une ville industrielle assez noire. Plus triste encore que le reste du pays. Le ciel y est bas, la mer y souffle des nuages que la suie semble souder solidement les uns aux autres. J'ai la sensation que le soleil, écœuré par le paysage, s'est trissé ailleurs, histoire d'éclairer une autre planète dont les habitants seraient moins locdus.

Il fait si gris qu'on se croirait au crépuscule, et pourtant, c'est au milieu de l'après-midi que nous arrivons. Grace, bercée par la voiture et aussi soûlée de caresses, s'est endormie. J'ai sa tête sur mon épaule. Ses cheveux me caressent la joue. Je penche un peu ma hure pour humer son tendre parfum. Cette môme, c'est la seule

chose intéressante que j'aie trouvée au cours de
ce lugubre voyage. Vous allez finir par croire
que je suis anglophobe, ce faisant vous vous
mettriez le *finger* dans l'œil jusqu'à l'épaule.
Seulement, débarquer dans un pays inconnu en
plein brouillard pour venir y voir pendre quelqu'un, découvrir des cadavres dans les jardins
et apprendre que les bistrots ferment l'après-
midi, voilà qui ne vous met guère dans une
bonne ambiance touristique.

Comme la route était assez longue, on s'est
arrêté dans une auberge, sur les bords de la
Tamise. On y a bouffé comme des malheureux.
Chez nous, à l'Armée du Salut on graille mieux
que ça, et pour moins cher.

En partant, j'étais tellement mécontent que
j'ai fait un peu de pelotage sur la personne de
Grace, histoire de me dégourdir les doigts ; un
peu comme un pianiste qui fait des gammes ou
un chanteur des vocalises.

Grace s'est départie de son flegme national.
Elle s'est mise à gueuler des trucs terribles, tout
en anglais-pâmé ! Il nous a fallu un bout de
temps pour nous y retrouver.

Enfin, malgré cet intermède burlesque, nous
voilà à Bath. La grisaille m'envahit à nouveau.
Le premier épicemard venu, je lui achète une
bouteille de raide, nature, pour me rebecque-
ter. L'homme a besoin de faire son plein
d'essence dans ces cas-là.

Je, freine en voyant un bureau de poste. Cette manœuvre éveille ma douce amie.

— Où sommes-nous ? demande-t-elle.

— A Bath...

— Dites, implore-t-elle, m'aimez-vous ?

— Tu ne sauras jamais à quel point, fais-je.

Elle est choucarde, c'est vrai. Elle se fait calcer comme une reine, c'est vrai encore, pourtant faudrait pas qu'elle se mette à me jouer la sérénade en permanence. Y a le bouillavage d'un côté — et d'un bon côté — mais y a aussi le turbin.

Je descends et je m'enfonce dans la porte-tambour du bureau de poste. L'annuaire du téléphone ! Vite !

Je cherche les « T ».

Il y en a toute une séquelle. Mais je ne dégauchis pas de Tone. J'éprouve un choc au battant. Mon copain Alexandre se serait-il gouré ?

J'appelle Grace et je lui dis de téléphoner au garage *Excelsior* de Northampton.

— C'est toi, Alexandre ?

Il reconnaît ma voix illico.

— Commissaire ! Alors, qu'est-ce qui t'arrive ? La guimbarde est en panne ?

— Non. C'est moi qui suis en panne. Je ne trouve pas de Tone, dans l'annuaire du téléphone de Bath.

— Sans rire ? Pourtant je suis certain du

blaze ; plus je gamberge à ça, plus je sais que je
ne me trompe pas.

— Peut-être que le zig n'a pas de bignou. Tu
ne te souviens pas de l'adresse exacte ?

— Tu me prends pour Inaudi, sans blague !

— Tu sais, c'est grand, Bath... C'est grand et
c'est moche !

— C'était peut-être en meublé qu'il habitait,
le copain... Et pourtant un type qui habite en
meublé n'a pas des bobines de voitures à prêter
à ses copains ; tu devrais voir dans les garages...

— Il n'y avait pas le mot garage dans
l'adresse ?

— Ça non, j'en suis sûr !

Je soupire :

— Eh bien ! ma foi, je vais voir. Je tenais
simplement à t'entendre confirmer ta certitude
de ne pas faire erreur...

Alexandre, c'est le type des illuminations de
dernière seconde.

Comme je vais raccrocher, il brame :

— Attends !

— T'as une idée ?

— Oui... Je parie que tu as cherché dans les
T, non ?

— Et alors, s'il s'appelle Tone ?

— Ça vient de l'accent anglais, faut croire
que je l'ai maintenant. Ça se prononce Tone
mais ça s'écrit Stone... Stone veut dire caillou.

Tu entraves ? Caillou Bath, j'avais retenu ça parce que c'était amusant.

Je n'en écoute pas davantage. Je raccroche si vivement que le déclic doit lui perforer le tympan.

***

Je ne trouve pas de Tone, mais alors, cette fois, des Stone, j'en ai à ne savoir qu'en faire. Si vous en avez besoin, ne vous gênez pas et profitez de l'occase : je les brade !

Quatorze en tout !

Avec ça je suis beau... Je ne sais pas par quel bout les attraper.

Je réfléchis un brin ; et je décide de les contacter par téléphone, d'abord parce que ça ira plus vite, ensuite parce que le couple que nous formons, Grace et moi, doit avoir l'air bizarre.

Je donne mes instructions à la pépée et je lui prends une douzaine de jetons.

Le numéro commence.

A chaque correspondant, elle demande s'il est M. Stone. Lorsqu'elle a l'intéressé, elle lui dit qu'elle l'appelle de la part d'Higgins.

Les gonzes demandent qui est Higgins ou lui font répéter le nom.

Elle donne un hâtif signalement de l'homme aux cheveux gris et mentionne l'Hillmann rouge. Quand elle est bien sûre que le Stone du moment ne connaît pas le locataire du sinistre pavillon, elle s'excuse et raccroche.

Le manège dure un bon bout de temps ; au huitième, un zig à la voix nasillarde (je tiens l'écouteur) demande qui est à l'appareil.

— Une amie d'Higgins. Je voudrais vous voir.

— Pourquoi

— C'est privé.

— C'est bon, arrivez !

Lorsqu'elle m'a traduit ces quelques répliques, je jubile vachement.

Remarquez que je me fais une fausse joie sans doute, mais j'aime bien avoir du nouveau dans une enquête, c'est, au fond, comme une maison que l'on construit moellon par moellon.

Nous voilà partis.

Cette affaire nécessite une sacrée bougeotte, vous ne trouvez pas ?

Le Stone qui connaît Higgins se prénomme Arthur. C'est joli sur une plaque de cuivre ; ça fait noblesse déchue.

J'appuie sur le timbre.

L'immeuble est confortable. Un domestique au gilet rayé vient nous ouvrir.

— Nous sommes attendus, lui dit Grace.

L'autre s'incline.

Quatre minutes plus tard, après une courte halte dans une antichambre somptueuse, le larbin nous introduit dans un bureau un tout petit peu plus grand que le Cirque d'Hiver.

Un vieil homme chauve se tient derrière un secrétaire d'acajou. Il nous regarde d'un air surpris.

— Parlez-vous français ? je questionne à bout portant.

— Oui, me dit-il sans sourciller. Pourrais-je savoir à qui j'ai affaire ?

Son français est impeccable, avec une imperceptible pointe d'accent toutefois.

— Je suis le commissaire San-Antonio, des services secrets français.

— Très heureux. Mais je ne vois pas...

Il nous désigne deux chaises perdues dans l'immensité de la pièce comme deux petites nébuleuses au milieu de la voie lactée.

— Je m'intéresse à un certain Higgins, lequel compte parmi vos relations, si je ne m'abuse...

— Une très vague relation, rectifie Stone.

Son visage paraît sculpté dans du buis. Il en a la couleur et aussi, dirait-on, la dureté.

— Il y a longtemps que vous le connaissez ?

— Fort peu de temps...

— Parlez-moi de lui, voulez-vous ?

— Eh bien ! je dirige une petite compagnie de navigation. Il est venu me trouver au sujet d'un transport de bois...

— Quel genre de transport ? Quelle sorte de bois ?

L'autre ne répond pas tout de suite. Il tire une paire de lunettes de sa poche et l'assujettit sur son nez. Puis il contemple Grace d'un œil critique.

— Mademoiselle vous accompagne en qualité de ?... demande-t-il.

— D'interprète, fais-je, en évoquant fugitivement la belle partie de jambes en l'air de l'après-midi.

« L'ignardise de la police française est proverbiale, poursuis-je. Je ne parle aucune langue étrangère, sinon l'argot de Montmartre ! »

L'explication paraît le satisfaire.

Pourquoi ai-je l'impression qu'il n'a créé cette diversion que pour se donner le temps de réfléchir ?

Et pourquoi ne puis-je m'empêcher de songer qu'il est chef de compagnie de navigation et que...

— Higgins voulait ramener du bois des îles en Angleterre. Il est venu me trouver à ce sujet. Il m'a donné peu de précisions. L'affaire paraissait bien amorcée mais je suis sans nouvelles de lui.

— Vous lui avez prêté une bobine à huile pour sa voiture ?

Il fronce le sourcil.

— Oh ! oui... Il était en panne, je lui ai dit d'aller à mon garage car j'ai un garage qui assure le transport par voie de terre des marchandises importées...

— Et il a retourné cette bobine au garage ?

— Non, nous l'avons reçue ici, sans doute n'avait-il pas d'autre adresse. Mais que diable cette histoire de bobine vient-elle faire dans tout cela, commissaire ?

Je souris.

— C'est par elle que j'ai pu vous joindre...

— Comment cela ?

— Permettez-moi de vous dire que ceci relève du secret professionnel.

Stone s'incline.

— Pouvez-vous me donner l'adresse de cet Higgins ?

— Comment ! Vous ne l'avez pas ?

— J'ai son adresse à Northampton, mais j'aimerais savoir sa nouvelle.

— Je l'ignore. Il y a un certain temps que je ne l'ai vu.

— Et il ne vous a rien dit qui puisse me mettre sur la voie ?

Il réfléchit ou fait mine de réfléchir.

— Non, rien !

— Alors, n'en parlons plus...

Je me lève et fait signe à Grace que nous allons lever le siège.

— Il ne me reste plus qu'à m'excuser, monsieur Stone, pour avoir abusé de votre temps qui doit être précieux. Le temps des hommes d'affaires est toujours terriblement précieux et j'ai scrupule à le leur faire perdre.

Il s'incline.

— Du tout, vous ne m'avez pas dérangé.

Avant de franchir la porte, je me retourne. Depuis mon entrée, j'ai affûté ma petite idée.

— Oh! monsieur Stone, dites-moi, vous connaissez bien l'un de mes compatriotes, un certain M. Rolle ?

J'ai lâché le pacson au moment où il nous croyait déjà hors de la pièce.

Il se raidit.

— Hum... Que dites-vous, monsieur le commissaire ? Rolle, non, je ne connais pas... Jamais entendu ce nom...

— En ce cas, excusez-moi encore...

Maintenant, c'est le bouquet : il flotte !

Les gros nuages d'importation océanique crèvent sur la ville et pissent une flotte sombre. La nuit tombe, des lumières s'allument.

Je suis au volant de la guinde, mais je ne roule pas. Appuyé sur le disque de conduite, je réfléchis.

Higgins m'échappe. Il m'échappe en tant que personnage. Je n'arrive pas à comprendre ce qu'il est exactement. Il est fantomàtique, impalpable... Chose curieuse, je ne le « sens » pas à travers les gens qui l'ont connu. Alexandre, le garagiste, n'a pas conservé un souvenir très vif, très marqué de lui. Et l'armateur non plus. Pourtant, bien qu'il s'agisse d'une vague relation d'affaires, il l'envoie se faire dépanner à son propre garage.

Il est en affaires avec lui, mais il n'a pas de nouvelles...

Comme tout cela est flou... Ça ressemble à ce putain de brouillard dans lequel tout se dilue, tout s'escamote.

Voilà un chouette titre pour un journaleux en délire : « Higgins, l'homme qui s'escamote... »

Je me tourne vers Grace qui assiste, muette et pourtant attentive, à mes cogitations.

— Si on allait vider un glass ? je suggère. Est-ce qu'à cette heure les troquets sont ouverts ?

Elle consulte sa montre.

— Oui...

— Eh bien ! voilà au moins une bonne chose d'acquise.

Nous choisissons un pub vachement rupin.

— On se remet au scotch ?

— Si vous voulez !

— Tu peux me tutoyer, mon amour, je lui dis.

— Pour nous autres, Anglais, ça n'est pas facile, dit-elle. Le tutoiement n'est pas courant...

— Eh bien ! exerce-toi, poulette !

« On peut téléphoner, au moins, dans cette taule ? »

Elle s'informe. Le barman répond que oui. Je vais dans la cabine avec Grace, toujours pour me demander la communication. Cette môme me devient tellement indispensable que je vais finir par l'emmener aux gogues avec moi.

Lorsque j'ai le *Lion Couronné* de Northampton, je demande à parler au Chief Inspector Brandon.

Justement, il est là. Il prend le thé.

— Brandon ?

— *Yes*...

— Ici, San-Antonio...

— Oh ! Et alors, quoi de nouveau de votre côté ?

— Rien, dis-je sèchement, et du vôtre ?

— La fille est morte empoisonnée. Une dose de curare, vous savez, ce poison indien dont les naturels se servaient pour empoisonner leurs flèches...

— Du curare ! Ça fait roman policier anglais ! je rigole.

Mais lui ne partage pas mon hilarité.

— Le décès remonte à près de trois semaines...

— Des nouvelles d'Higgins ?

— Aucune... Son signalement est communiqué. J'ai fait passer un avis dans les journaux, pour dire que la police aimerait entendre son témoignage.

— Jolie formule, apprécié-je... Il est vrai que vous avez le respect de la réputation, chez vous...

— Nous sommes prudents, dit-il, avec une certaine satisfaction. Pour nous, il n'y a officiellement pas de suspects, mais seulement des innocents ou des coupables. Tant que nous n'avons pas la preuve formelle de la culpabilité...

— Je sais, coupé-je. Dites, Higgins a-t-il un dossier chez vous ?

— Non.

Il doit en avoir classe d'être interrogé car c'est lui qui passe à l'offensive :

— D'où téléphonez-vous ?

— De Bath...

— Bath ?

Il freine sur les bouchons de roue pour se retenir de me demander ce que j'y fous.

— Bon, dis-je, eh bien ! Bonne chance, mon cher...

— Bonne chasse, répond-il.

Nous raccrochons...

Grace va pour sortir de la cabine, mais je la retiens.

— Cherche dans l'annuaire les bureaux de Stone. Il doit en avoir... Non ?

Je vais l'attendre au zinc.

Le barman a servi deux scotch que nous lui avons commandés. Un troisième verre, vide celui-ci, repose à côté des nôtres.

— *What is it ?* me hasardai-je à demander.

Le barman sourit poliment de mon accent et, dans un français aussi rigolard que mon anglais, me dit que c'est la consommation d'un client qui n'a fait qu'entrer et sortir.

Ce disant il enlève le verre, mais il s'y prend si mal qu'il renverse le mien.

Il s'excuse et me remet un autre glass. J'ai idée que ce verre renversé sera au frais du patron.

Je torche une grande lampée...

C'est du chouette. Le whisky, je m'y mettrais rapidement. Je suis plus doué sur les alcools étrangers que sur les langues étrangères.

Moi, à part les langues fourrées...

— *How many ?* dis-je en sortant du fric de ma poche.

Il annonce la couleur. J'ai rien pigé à son baratin. Je lui fais confiance, j'étale mon pognozof sur le comptoir en lui faisant signe de se sucrer.

En procédant à cet étalage, j'avise un petit objet rond que j'avais totalement oublié. Il s'agit du bouton que la môme Martha tenait serré dans sa main.

Drôle de message, par-delà la tombe, que ce bouton... Et un des siens !

Je l'examine. Au verso, il y a quelques chiffres gravés. Ça donne ceci : 18-15-12-12-5.

Ce qui m'a tout l'air d'être un message.

Il faudra que j'étudie cela d'un peu plus près...

Sur ce, Grace radine de la cabine.

— Tu as trouvé ? je questionne.

— Oui, dit-elle.

— Comment t'y es-tu prise ?

— J'ai téléphoné au syndicat d'initiative, tout simplement.

— Bonne idée...

— Les bureaux de la Compagnie Stone se trouvent à Bristol. Voici l'adresse, je l'ai copiée...

— Bravo... On va arroser ça...

— Tu trouves que c'est un grand pas en avant ? demande-t-elle.

— Si on n'arrosait que les grands pas en avant, on ne boirait pas souvent, assurai-je.

Je trinque.

Elle empoigne son godet, le lève légèrement en me regardant intensément comme pour me dédier son contenu, le boit, fait la grimace et tombe, foudroyée.

CHAPITRE IX

Où il est question d'un travail nocturne

Tout cela se déroule avec une telle soudaineté que je n'ai même pas le temps d'intervenir. Il me semble que je rêve, que tout va recommencer du bon côté.

A mes pieds il y a Grace, la petite Grace. Elle est étendue à terre, aussi morte que la reine Victoria. Ses yeux sont révulsés, ses narines pincées et ses lèvres ont une couleur verdâtre repoussante.

Le barman se précipite avec des cris. Je me baisse et ramasse le plus gros morceau du verre dans lequel elle buvait. Il y a encore sur la paroi une odeur bizarre. Grace a été empoisonnée...

Je me penche par-dessus le bar et je saisis le verre qui m'était destiné et que le garçon a renversé : il sent la même chose. Pas d'erreur, on a voulu nous farcir comme des doryphores, la petite et moi.

Pendant dix minutes c'est la grande confusion. Le barman a appelé le patron, qui a appelé le médecin et la police. Tout est de plus en plus irréel. Je suis soûl de stupeur, de chagrin. Rigolez pas, tas de noix ! Cette souris, je m'y étais déjà attaché. Elle me plaisait bien... Qu'on vienne lui refiler le potage à mon nez et à ma barbe, ça fait incroyable et j'arrive pas à m'enfoncer cette évidence dans le dôme, même avec un marteau !

Enfin, les bourdilles d'ici rappliquent. L'un d'eux parle le français. Je décline mon identité, j'allonge le blaze de l'inspecteur Brandon comme référence et je dis que je me tiens à leur disposition si besoin est...

Je demande au policier de se faire donner par le barman un signalement précis du mec qui est entré derrière nous vider un godet. C'est cette salope qui nous a versé sa jouvence. Sans la maladresse du garçon, à l'heure qu'il est, votre petit copain San-Antonio serait sur le macadam, aux côtés de la môme Grace, bien raide, bien pâlichon... Et pour ce qui est de la fin de l'enquête, vous auriez dû vous reporter à votre romancier habituel...

Le policier questionne le serveur.

— L'homme qui est entré est assez jeune. Il était blond... Vêtu en bleu.

— Et il portait un gilet en daim marron, non ?

Le policier sollicite ce complément de signalement.

— C'est exact, dit-il. Vous le connaissez ?

— Non...

Je porte la main à mon chapeau et, après un
dernier regard à Grace, je quitte ce funeste
troquet.

Un boxeur amateur qui descend du ring après
avoir essuyé quinze rounds contre le champion
du monde de sa catégorie n'est pas plus flottant
que je ne le suis.

J'ai les tiges en aluminium. Je me sens tout
creux et une vague envie de dégueuler me
triture les tripes.

Cette fois, la guerre est déclarée... Si l'on
examine les choses de très près — et froide-
ment — on peut même dire que ce meurtre et
cette tentative de meurtre ont du bon, au point
de vue de l'enquête. Surtout, ne sautez pas ! J'ai
raison ; et je vais vous le prouver sur-le-champ :
voyons, si le jeune homme blond qui est un des
personnages de mon histoire, un des personnages insaisissables, se manifeste pour tenter de
me buter, c'est qu'il estime que je deviens
dangereux, si je deviens dangereux c'est que je
brûle...

Seulement comment sait-il que j'existe, ce
brave garçon ?

Tout bonnement parce qu'au cours de ces

deux jours, j'ai interrogé quelqu'un qui était en cheville avec lui.

Je fais une revue de mon activité...

En quarante-huit heures je n'ai pas perdu mon temps et j'ai vu pas mal de gens : le patron du *Lion Couronné*, la mère Fig, le pharmacien, le garagiste, l'accidenté, Stone...

Oui, on peut dire que ma visite au pays de la royauté a été bien employée.

Je m'ébroue un bon coup.

Et, comme toujours dans les cas sérieux, je me convoque pour un sermon bien venu :

« Ecoute, mon gars San-Antonio. Les choses sont embrouillées. Tu travailles en plein cirage dans une contrée débectante. Tu le fais pour toi seul, car tu n'as pas d'ordres pour agir comme tu le fais. C'est un luxe que tu te paies. Simplement, le mystère te chiffonne et tu fonces dessus comme un taureau fonce sur un chiffon rouge. D'accord, les taureaux ne sont pas des cérébraux, mais le Bon Dieu les a faits comme ça... Alors, mon gentil petit homme, tu vas serrer les dents, serrer les poings, serrer... Enfin, serrer tout ce qu'il faudra et tu vas te démerder de liquider cette affaire. Oublie ce coup dur qu'est la mort de Grace ; oublie ce pays triste, son brouillard, ses mystères... Va de l'avant... »

Je suis remonté dans la tire d'Alexandre tout en m'adressant cette exhortation.

« Non, ça n'est pas seulement pour ma satisfaction personnelle que j'agis de la sorte. C'est
surtout parce que j'ai encore dans les oreilles les
dernières paroles d'Emmanuel Rolle : « Je suis
innocent ! »

« Il a tenu le coup... Même à moi, il n'a rien
voulu dire.

« Et puis, il a eu la petite cagoule noire sur le
visage, lorsqu'il a senti la corde sur ses
épaules...

« S'il était innocent, pourquoi s'est-il chargé
d'un meurtre qu'il n'avait pas commis ? »

Je débraye. Un facteur rentre chez lui, les
mains aux poches.

— *Hé ! Postman !*

Il s'arrête, cherche autour de lui, puis,
m'ayant aperçu, s'avance vers la voiture.

— *Yes, sir ?*

Comment vais-je m'y prendre ?

— *Please, the road of Bristol, please ?*

Je pimente avec ces *please* la carence de mon
vocabulaire.

Il m'indique le chemin à suivre.

— Merci...

Je quitte enfin Bath...

Une grande route noire où s'effilochent des
écharpes de brume !

La lumière blonde des phares me fait penser
aux cheveux d'or de Grace... Bon Dieu ! Jamais
une souris m'est entrée dans le crâne à ce point.

J'ai pas encore bien réalisé sa mort. Je ne peux pas me figurer que ça y est ! Je l'ai tuée indirectement... Quelle idée aussi de trimbaler une gonzesse dans le turf ? C'est vrai qu'elle aimait ça et qu'elle me servait d'interprète... C'était le prétexte que je me donnais...

Si le zig au gilet de daim me tombe dans les pattes, parole de poulet, il la sentira passer !

« *COMPAGNIE MARITIME STONE* »

Oh ! bien entendu, c'est écrit autrement mais c'est du moins la traduction de l'immense enseigne en caractères de marbre qui surmonte une vaste vitrine dans laquelle se trouve toute une flottille en réduction.

Je vais un peu plus loin, remiser ma bagnole. Puis, à pas lents je reviens aux Messageries Stone. La rue est obscure, le brouillard a remplacé la pluie. Minuit a sonné il y a un bon moment déjà... Minuit, l'heure du crime ! Tu parles !

Je renouche autour de moi : rien ! Ce coin de Bristol paraît vide comme la poche d'un contribuable.

Alors, que voulez-vous, j'oublie les leçons du chef et je sors mon ouvre-boîte particulier, celui qui met K.O. les serrures les plus prétentieuses.

En deux temps et trois mouvements il y a une effraction de plus à ajouter à mon palmarès. Me voilà dans la place. Et pour y branler quoi, juste Ciel ?

Vous cassez pas le bol, je marche de plus en plus au pifomètre. Le nez, c'est mon radar à moi ; presque mon subconscient... Je le suis en fermant les yeux afin de repousser le vertige. Jusqu'ici il m'a fait traverser de sales coins, mais il m'a toujours conduit là où je voulais aller comme un cheval d'ivrogne qui ramène son maître à la maison.

J'ai trouvé dans la niche du tableau de bord de la voiture une lampe électrique. Une fois rentré, je referme la porte, tire le verrou et vais à tâtons au fond du vaste hall. Parvenu là, je mets la lampe dans ma chemise et l'allume. La petite tache orangée qui paraît sortir de ma carcasse me permet de découvrir une porte. Je la pousse, elle dit non. Mais mon Sésame est là pour la faire changer d'avis.

La petite porte communique avec un couloir sur lequel ouvrent plusieurs autres portes.

J'extrais la lampe de mon giron et j'en promène le faisceau autour de moi.

C'est l'administration dans toute sa splendeur. L'administration privée, si j'ose dire... Privée et luxueuse. Le sol est recouvert d'une moquette plus épaisse que le Bottin de Paris. Avec ça, inutile de marcher sur la pointe des pieds ! Vous pourriez faire défiler la cavalcade de Barnum sans réveiller les voisins !

Je pousse les portes. Elles s'ouvrent toutes et laissent voir un univers de bureaux et de classeurs... Aucun intérêt... Je les referme les unes après les autres et je poursuis mes investigations.

Ce que je viens chercher ?

Oh ! tonnerre, me brisez pas les claouis ! Si je le savais seulement.

Je suis venu là parce que Stone ne m'a pas paru franco, parce qu'il est Messager maritime, et parce que Rolle s'occupait des affaires de son papa, lequel fait du trafic avec l'Afrique... Car enfin, je suis sur les traces d'un Higgins que je soupçonne d'avoir démoli Martha Auburtin, bon, bravo, mais je ne suis pas payé par le gouvernement français pour suppléer la police britannique, hein ?

L'affaire ne m'intéresse qu'à cause du rapport qu'elle peut avoir avec l'aventure d'Emmanuel Rolle. Or, depuis que je suis parti, le nez au vent, comme un chien de chasse, il n'a plus été question de Rolle... Non, à cause de lui j'ai été amené à m'intéresser à Martha et le cadavre de Martha m'a conduit à Higgins... A son tour, sans le savoir, Higgins m'a envoyé à Stone... Marrant comme les gens sont socialement emboîtés les uns dans les autres !

Me voici devant la porte du fond. J'aurais dû

commencer par elle car elle porte en caractères
noirs, ce mot alléchant pour un flic ou un
voleur : *Private.*

Private, c'est pour moi une invitation à
entrer...

A moi Sésame ! Les serrures d'outre-Manche
ne sont pas plus marles que les serrures de chez
nous.

Je pige tout de suite. Voilà le bureau directo-
rial.

C'est cossu, les meubles sont massifs comme
la Tour de Londres. Au mur on voit le portrait
d'un mec à favoris qui semble s'être servi du
dentier de sa femme un jour qu'il avait oublié le
sien dans le slip d'une tapineuse. Il a la
mâchoire en tenaille et la bouche en ouverture
de tronc des écoles laïques. Il ressemble à Stone
comme une vieille pantoufle ressemble à une
autre vieille pantoufle. Ça sent bon la tradition
dans la pièce.

Le Stone père ne sourcille pas lorsque je lui
file le faisceau de ma lampe dans les carreaux.
Au contraire, nullement aveuglé, il fixe sur moi
un regard hautement réprobateur...

— Te frappe pas, pépé, je lui dis... Je viens
simplement en badaud...

Je remarque que la pièce est munie d'une
fenêtre dont les volets sont fermés... D'après
mon estimation elle doit donner sur une cour,

donc je peux m'offrir l'électricité de la maison. Aussitôt dit, aussitôt fait...

Grâce à l'éclairage au néon, je ne perds aucun détail des lieux. J'avise un coffre-fort qui pourrait donner asile à des réfugiés. Le voilà, mon objectif principal... Seulement Sésame est trop jeune pour s'attaquer à un gros méchant de ce format...

Perplexe je le contemple... Puis je soulève le gros médaillon qui masque la serrure. C'est un coffre à chiffres... Il est muni d'un cadran assez semblable à un cadran de téléphone. J'essaie de tourner, mais il tourne à vide... Rien n'est plus déprimant...

Bon Dieu, être venu jusqu'ici, risquer de se faire appeler Victor par les bourdilles au casque à étage et se laisser intimider par un morcif en fonte renforcée, c'est vexant...

J'essaie encore des combinaisons... Mais autant frotter le cerveau de M. André Billy sur un morceau de glace jusqu'à ce qu'il fasse des étincelles !

C'est comme si je voulais grimper après le rayon d'un projecteur !

Je sue sang et eau... J'enrage...

Je tourne ce disque comme un perdu...

J'aurais dû apporter un chalumeau ! Mais on n'a pas un chalumeau sur soi en permanence.

Je vide mes poches désespérément comme si

j'espérais y découvrir un matériel complet de perceur de murailles.

Alors, vous comprenez — ou plutôt non, vous êtes trop bouchés pour comprendre ! — le merveilleux intervient, comme il intervient toujours dans la vie des mecs gonflés qui vont jusqu'au bout des choses... En vérifiant le contenu de mes vagues, je récupère le bouton de la morte. Le bouton chiffré :

18-15-12-12-5.

J'applique cette combinaison en me traitant de nave, de portion de courge, de tordu et autres qualificatifs somme toute assez péjoratifs...

Je suis en train d'épuiser mon stock d'invectives et d'en inventer de nouvelles lorsque la porte du coffre s'ouvre !

CHAPITRE X

Où il est question de la mer qu'on voit danser

Des chiffres sur un bouton. Et la porte du coffre s'ouvre. Ça me fait penser aux histoires loufoques, vous savez ? Etant donné que le bateau fait vingt nœuds à l'heure et qu'il va à Gibraltar, quel est l'âge du capitaine ?

Enfin je reviens de ma stupeur et, me promettant d'examiner cette relation de bouton à coffre un peu plus tard, j'inventorie le contenu de ce dernier...

Il y a tout d'abord une pile de dossiers. Je ne cherche pas à les ouvrir car ils contiennent des paperasses rédigées en anglais, c'est-à-dire illisibles pour moi.

Ces dossiers occupent les deux rayons supérieurs. Mais dessous se trouve comme un autre coffre dans le grand. Fort heureusement, ce petit enfant dans les entrailles de sa mère s'ouvre à la clé, donc mon appareil lui convient.

En effet, une rapide démonstration et j'en ai

raison. Ouf! Ce que j'aurai pu forcer comme lourdes, cette nuit! Parole, je vais en rêver bientôt...

Dans le petit coffre il y a une multitude de petits sacs en cuir.

— De l'or! je murmure...

Et mon cœur se met à cogner. Le cœur des hommes — même celui des honnêtes bourdilles de mon espèce — se met toujours à faire du ramdam lorsqu'il se trouve devant un amoncellement de jonc. Doit y avoir une influence qui relève du magnétisme dans ce phénomène...

En tremblant un peu je m'empare du sac de cuir. Chacune de ces poches est de la dimension d'une livre de farine... en paquet.

Je l'ouvre. Cramponnez-vous bien : c'est pas du gold mais bel et bien de la farine que le sac contient. Du moins cette poudre blanche a-t-elle toutes les apparences du froment.

Seulement je ne vous souhaite pas de becqueter du brignole fabriqué avec ça! Ah! foutre non! Car cette farine ne s'emploie qu'en toute petite quantité. Et on ne se la met pas dans la bouche mais dans le nez. Bref! il s'agit de neige, de coco, quoi!

Il doit bien y en avoir une vingtaine de kilos en tout. Non, mais vous vous rendez compte d'une fortune?

Je commence à entraver pas mal de choses maintenant.

Je referme mon sac-échantillon et le remets dans le coffre. Décidément, je viens de marquer un point capital dans la marche de l'enquête...

Et ce, sans jacter un mot d'anglais, sans avoir les moyens formidables du Yard... Lorsque le Brandon va savoir ça, je suppose qu'il va sortir de sa réserve... Mon rêve serait de l'entendre dire merde ; même en anglais, ce serait marrant et ça ferait plaisir à l'esprit de Cambronne s'il rôdaille dans le secteur.

Seulement, voyez-vous, ça n'est pas tout de suite que je pourrai révéler le pot aux roses à mon british collègue.

Non, et ce ne sera peut-être jamais car lorsque je me retourne je constate sans plaisir que je ne suis pas seul dans la pièce.

Dans l'encadrement de la porte se trouvent deux hommes. L'un est le bon M. Stone, l'autre un grand jeune homme au gilet de daim marron. Stone a les mains dans ses poches, mais le jeune homme, par contre, tient un revolver à gros barillet et à canon court. C'est une de ces armes qui font dans la bidoche des trous grands comme l'entrée de Prisunic...

Et si vous voyiez le grand jeune homme, vous ne douteriez pas un instant de son envie de tirer.

Il a un menton carré, proémiment. Des yeux fauves, si terribles qu'ils foutraient les jetons à un boa constrictor. Son front est sillonné de rides rageuses et une mèche lui pend entre les sourcils.

— Un petit malin, hé ? murmure-t-il dans un français parfait.

Si ce mec n'est pas né à Paris, il a du moins été élevé à Saint-Cucufa...

— Oh ! fais-je, un compatriote... Ça fait rudement plaisir d'entendre parler sa langue maternelle... C'est brusquement comme si le clocher de mon village venait me rendre une visite de politesse.

Il hausse les épaules...

— Le clocher de ton village va te sonner les cloches, poulet...

— Allons, trésor, ne te fâche pas...

— Garde tes petits mots pour amadouer le diable, dit-il...

Il avance légèrement le bras pour me plomber.

— Non, intervient Stone... Pas ici... Il y aurait du sang et de la cervelle partout, rien n'est plus écœurant...

— Merci, Mr Stone, fais-je. Vous êtes bien aimable...

Son sens de l'hygiène et de la propreté prolonge ma gentille existence de quelques instants. Quelques instants ne sont pas à dédaigner, surtout lorsqu'il s'agit des derniers.

L'autre ramène son feu contre sa hanche,

mais l'orifice noir ne me perd pas de vue pour autant...

— Comment êtes-vous arrivé ici ? questionne Stone.

— Vous n'avez jamais entendu parler du petit doigt ? Explique-lui, toi, le mitrailleur...

— Répondez ! intime Stone.

Il enchaîne :

— Comment avez-vous trouvé la combinaison de ce coffre ?

— Devinez !

Maintenant il ne s'agit plus d'ergoter... Je dois gagner du temps coûte que coûte si je veux sauver mes os. En un temps record je fais un tour d'horizon...

Stone est à la tête d'un trafic important de stupéfiants. Ma visite de tantôt lui a filé les copeaux et il s'est dit que je devais aller engraisser les asticots au plus vite. Alors il a attaché à mes pas le gars au gilet de daim (dont il ne savait pas que je connaissais l'existence) avec mission de m'envoyer le potage à la première occase.

A cet instant, ma mort était décidée à titre, si l'on peut dire, préventif.

Seulement, depuis qu'elle a raté, il est intervenu un fait capital : j'ai découvert le stock de neige et j'ai su ouvrir le coffre, Stone ne peut plus laisser exécuter un gars détenteur de ce

secret avant de savoir d'où il sort... Ce serait de
la dernière imprudence...

Donc, si je la boucle et si je suis capable de
planquer le bouton, j'ai une chance de me
prolonger et, qui sait, de m'en sortir...

Pourvu que Stone comprenne bien tout
cela...

— Je ne sais pas si vous réalisez très bien la
situation, dit-il ; mais l'heure n'est plus aux
plaisanteries stupides. Vous allez parler, et
parler vite... Et tout nous dire...

— Oh ! Mr Stone, fais-je, connaissez-vous la
France ?

— Vous dites ?

— Vous savez que la cuisine française est la
meilleure du monde ?

— Que signifie ?

— Enfin, vous me demandez de vous parler,
je vous parle...

Il blêmit ; ses doigts noueux se crispent.

— C'est un malin, dit le garçon blond... Je
savais pas que les poulets étaient aussi futés.
Jusqu'ici, tous ceux que j'ai mis en l'air avaient
une cervelle dure comme une bordure de trot-
toir...

« Et puis d'abord, reprend-il, qu'est-ce que
tu fous ici ? Un poulet français, c'est fait pour
emmerder les gens de France... »

— Suppose que j'aime les voyages...

Du moment qu'on bavarde, y a du bon. Je me

suis toujours sorti des situations périlleuses lorsqu'on se mettait à tailler une bavette, les types qui voulaient me dessouder et moi.

Si vous saviez comme j'ai l'œil... Je me dis, par exemple, que le soufflant du gars pèse dans les deux kilos et qu'on se fatigue de tenir deux kilos trop longtemps...

De fait, insensiblement le canon de l'arme s'abaisse tandis que le garçon blond discute le bout de gras.

Mine de rien, je fais une rapide évaluation. Elle me conduit à penser que si le zig pressait la détente de son feu, la balle ne risquerait guère de m'atteindre que les cannes, ce qui n'est pas rigoureusement mortel...

Je remercie le ciel d'avoir choisi comme chaussures des mocassins noirs ; c'est-à-dire des pompes qu'on peut ôter sans avoir à les délacer. Je fais mine d'être fatigué et ma position debout et je me mets à danser d'un pied sur l'autre. En réalité, ce manège a pour but de me permettre de dégager mon pied gauche. Lorsque la godasse ne tient plus à ma personne que par le coup de pied, je murmure...

— Allons, les gars, on ne va pas se tirer la bourre pendant mille ans ! On va faire un petit marché : je vous dis tout et vous me laissez la vie sauve, c'est d'accord ?

Les deux hommes se regardent.

— C'est d'accord, décide Stone.

Il a la voix aussi innocente que celle du gars qui vend sa petite sœur pour pouvoir s'offrir un costume neuf. Faudrait être un lardon de cinq piges pour s'y laisser prendre !

Mais je fais mine d'encaisser ses salades comme argent comptant.

— Eh bien ! voilà, fais-je.

Je shoote puissamment en assujettissant bien mon coup. Ma godasse quitte mon pinceau et décrit une brève trajectoire qui la conduit droit sur la pommette du mec blond...

Ce dernier pousse un juron qui doit réveiller les naturels du Congo. Il tire au jugé, tout en levant son arme en un geste de parade et la balle siffle à mes oreilles.

Je ne perds pas mon temps, je vous jure. Tant pis pour le revolver et son stock de valdas. Je décris un bond qui laisserait baba un léopard diplômé de l'académie des sports et j'atterris en plein dans le buffet de mon mitrailleur. La collision lui fait pousser un « Aah ! » terrifiant. Un nouveau saut et me voilà à pieds joints sur un beau gilet. Ça représente près de deux cents livres et vous conviendrez que ça se pose un peu là en fait de cataplasme.

L'oxygène se taille de ses poumons comme les rats d'un grenier en flammes. Ça fait un petit bruit rigolo de pneus crevés... Ma rage est telle que je ne me sens plus. Je lui refile un coup de talon dans le pif, un autre sur la tempe. Bref, le petit gars ne se souvient bientôt plus s'il est Ramsès II ou le petit lord Fauntleroy.

Je ponctue chacun de mes coups d'une exclamation qui fouette mon énergie.

— Tiens, vache ! Tiens, ordure ! Tiens, pourri !

Il geint :

— Non, non ! Arrêtez, pardon...

Puis il ne geint plus du tout...

Un filet de sang coule de son blair, un autre lui sort de l'oreille. Ses yeux ressemblent à ceux de ces lièvres qu'on voit à l'étalage des marchands de venaison.

— Tu as ton compte, hein, ma carne ? je lui demande...

Mais je n'attends pas la réponse...

Prsto je me baisse pour ramasser le soufflant.

Je n'ai pas besoin de me relever. Ici, c'est une maison où l'on vous facilite le boulot. Je prends un de ces gnons sur la théière qui compte dans la vie d'un flic...

Je pige que le père Stone vient de prendre part aux réjouissances. Si ça n'est pas son dessus de bureau en marbre qu'il m'a téléphoné sur l'occiput, c'est un duvet de canard !

Je dodeline comme un taureau touché à mort, puis lentement je me précipite à l'avance du plancher.

Un long moment j'ai l'impression d'être

allongé en pleine mer, sur un radeau pneumatique moelleux comme du Montbazillac.

La mer est bleue... Bleue à dégueuler...

Et elle danse, madame !

Je ferme les yeux et je lâche la rampe.

TROISIÈME PARTIE

CHAPITRE XI

Où il est question d'un aspirateur

J'ouvre les yeux. Sous mon cuir chevelu un moteur d'avion se déclenche aussitôt. Alors je me hâte d'abaisser mes stores.

Chose curieuse, cette sensation de tangage mou que j'éprouvais a repris et je me crois toujours sur la grande bleue...

J'essaie encore une fois d'ouvrir les yeux, mais va te faire voir ! Le moteur éclate instantanément...

Il faut te résigner, San-Antonio... Tu te crois toujours le plus fortiche, mais la vie te prouve le contraire. En ce monde, personne n'est le plus fortiche. Chacun trouve son maître...

En ce moment, je sens que c'est fini pour ma pomme. Je dois avoir une fracture du crâne carabinée... Autant dire que je suis scié.

Reste plus à votre petit pote qu'à passer un *gentleman agreement* avec le Bon Dieu...

Non seulement ma tête est sur le point

d'exploser, mais j'ai une fièvre de bourrin. Mes
dents claquent comme le dentier qu'une vieille
demoiselle a posé sur un roman d'horreur avant
de s'endormir.

Et non seulement j'ai un petit quarante qui
me va bien au teint, mais aussi je souffre d'un
horrible mal de cœur. Un peu comme si j'avais
avalé un baquet de harengs salés. Mes tripes me
remontent dans la gorge ; ma langue est
enflée... Oh ! ce que j'en ai classe de l'existence !

Un type qui chercherait une peau d'occasion
pour en faire des blagues à tabac, chiche ! je
leur fourgue la mienne avec son contenu !

Si au moins le plancher s'arrêtait de danser...
Il ne va pas m'achever, le père Stone ? Il
pourrait pas me filer une bastos dans la boîte à
penser ? Dites ?...

« Bon Dieu de bon Dieu, je me dis. San-
Antonio, mon gosse, si tu n'es pas foutu de
surmonter tout ça, tu n'as qu'à rendre ta belle
âme au diable. Es-tu un homme ou une
souris ? »

Une autre voix, enfouie en moi, répond :

« Ta gueule ! Je suis un homme, d'accord ;
mais un homme ça n'a jamais été grand-
chose... »

Pourtant je me force à garder mes yeux
ouverts.

« Tant pis si j'en crève ! » décidé-je.

Je constate que la persévérance est toujours récompensée. Peu à peu, mon moteur faiblit, je sens que je suis sur le mieux.

Je m'étonne alors d'en être quitte à si bon compte. Voilà qui est bizarre. Je n'entends aucun bruit... J'ai le tapis sous mon nez, et ce tapis danse, danse...

Je parviens, en ramenant les jambes sous moi, à m'agenouiller, seulement voilà-t-il pas que le plancher remonte brutalement et que je pars à la renverse ?

Va falloir le clouer, tout à l'heure, pour le faire tenir tranquille. Je stoppe net ces projets.

Je ne suis plus dans le bureau de Stone. L'endroit où je me tiens allongé est petit et sent le ripolin. Il y a des trucs en cuivre un peu partout. En guise de fenêtre : un hublot ! Parfaitement, un hublot !

Je comprends alors que le plancher a le droit de bouger : nous sommes sur l'eau... Mon rêve n'en était pas un...

Je me traîne à quatre pattes jusqu'au bas du hublot. En m'agrippant à la cloison j'arrive à hisser un œil à la hauteur du disque de verre...

Ah ! mes potes ! A moi, Mac-Mahon ! Que d'eau, que d'eau !

Nous sommes en pleine mer. Et la mer n'est pas belle. Il y a des vagues grises, ourlées d'écume... V'là que ma poésie se pointe au rambour maintenant ! Elle tombe bien, celle-là, comme si c'était le moment. En guise de fleur de rhétorique, je cultive plutôt la fleur de nave !

En pleine mer, moi, San-Antonio, un mec qui se sent perdu devant un verre d'eau... La flotte, je peux pas piffer ça ! Surtout lorsqu'elle est salée...

Dans mon crâne, le moteur s'est tu pour laisser place à la grosse rumeur de l'océan. Des petits feux d'artifice partent sous mon dôme et m'éblouissent.

En zigzaguant je gagne une table à toilette rivée à la cloison. Dieu soit loué (louez aussi ! comme disait un directeur de théâtre) il y a de l'eau de Cologne dans un flacon. Je me la renverse sur le cassis. Ce que ça peut faire du bien !

Je me sens beaucoup mieux. Tenez, on me donnerait un coup de gnole que je reprendrais goût à l'existence...

Mais les vaches n'ont pas laissé traîner la moindre gouttelette de rye !

Alors je me traîne jusqu'à la couchette et je m'y allonge. L'essentiel pour l'instant est de récupérer...

Je dois avoir une plaie à la tête car l'eau de Cologne me brûle maintenant comme du vitriol. Son odeur accentue mon mal de cœur... J'y tiens plus...

En gémissant, je me tourne du côté et je décroche les wagons !

**
*

Une heure s'écoule ; du moins d'après mon estimation. Mais allez vous fier à l'estimation d'un zig aussi groggy. Si vous preniez un casque de scaphandrier et que vous l'emplissiez de choucroute, vous obtiendriez à peu près ma tête du moment...

Ce qu'il m'a mis comme portion de parpin, Stone ! J'ai été branché en direct sur l'infini... Vous parlez d'un voyage !

Enfin, ça se tasse un peu ; de tout ça il ne me reste qu'une douleur cuisante à la base du crâne et une gueule de bois maison, exactement comme si je m'étais envoyé un wagon-citerne d'eau-de-vie !

Mais ça n'est pas de l'eau-de vie que j'ai avalé !

Mon intelligence est en veilleuse. Tout ce que je peux réaliser potablement, c'est que je vis et que je suis sur un barlu. Je n'ai pas la force de m'en étonner...

Je remarque que l'immobilité me fait du bien... Je me détends donc et je m'efforce d'oublier le peu que j'ai en mémoire... Pour résister au choc de cet aérolithe il ne faut pas avoir une boîte crânienne en sucre, je vous le promets !

Je flotte dans cette demi-torpeur lorsque je

perçois un bruit. Je rouvre mes quinquets. Et ce que je vois me tire de mes limbes.

Stone est là, tout près, flanqué du gars blond. Mais si vous pouviez bigler ce dernier, vous vous fendriez la cerise. Il a le nez complètement aplati et noir. Son œil droit est fermé et enflé, il a un bandage autour de la tête. Sa figure hésite entre le jaune canari et le vert bouteille.

— Vous m'entendez ? demande Stone…

— Oui, je lui fais, mais ça ne vaut pas Lili Pons, soit dit sans vouloir vous vexer…

— C'est un coriace, grogne le blond…

— Tiens, murmuré-je, voilà le musée des horreurs en tournée !

— Oh ! m'sieur Stone, gronde l'autre, lais-sez-moi lui crever la paillasse, à cette ordure !

Il parle du nez vilain ! Ce qui est une façon de parler puisqu'on dit ça des gens qui parlent sans le concours de leur naze…

— Paix, dit Stone…

— Joli mot, apprécié-je, il figure sur un tas d'affiches et dans le programme des hommes politiques les plus belliqueux…

Je m'entends jacter avec plaisir.

La babille, moi, ça me dope. Je suis comme ça, vous me changerez pas. Balancer quelques couenneries, ça me fortifie ! C'est comme qui dirait mon calcium à moi.

— Il est increvable ! fait le grand blond avec une nuance d'admiration.

— Tu vois, mon trésor, je fais, nous autres, les petits Français, nous tenons le coup. Prenons ton cas, par exemple. Logiquement, tu devrais en ce moment être entassé dans deux poubelles, et pourtant, t'es là...

« D'accord, continué-je, t'es pas beau à voir... Une femme enceinte qui t'apercevrait serait sûre d'accoucher d'une guenon, mais tu vis et c'est l'essentiel... »

Il s'approche de moi et me met une baffe. Pas manchot, le copain. J'en vois trente-six chandelles et j'ai un goût de sang dans la bouche. Ce veau m'a fait éclater les lèvres. Ma rage rapplique à toute pompe ; je pense à la petite Grace que cette ordure à gilet de daim a empoisonnée comme on empoisonne un rat. Je déplore intensément qu'il soit encore en vie. Ça m'aurait fait bougrement plaisir de lui régler son compte, à cet enfant de putain !

Je me mets sur mon séant.

— Tu me paieras ça ! fais-je en torchant d'un revers de main le filet de sang qui dégouline de ma lèvre...

— C'est ça : chez saint Pierre, dit-il, lorsque mon heure sera venue de t'y rejoindre, car tu vas y aller sans tarder... Tu me retiendras une bonne place...

— T'inquiète pas, elle sera chauffée ! Et bien chauffée !

— Ouais, tes astuces on commence à les

connaître, t'as pas un autre disque à nous
brancher ?

Il est debout devant moi, l'œil mauvais,
d'autant plus mauvais qu'il est délicieusement
cerné de noir avec des traînées violettes et
vertes comme des taches d'essence sur les
routes goudronnées.

La prudence m'ordonne de biaiser. Mais je
n'ai pas envie de biaiser... Je prends un court
élan et je lui carre un coup de boule dans
l'estomac. Il refait sa séance de pneu dégonflé.

— Arrêtez ! ordonne Stone.

Quelque chose brille à son poing. C'est un
gentil pétard nickelé.

Je redeviens sérieux.

Gilet-de-daim se relève en ahanant.

— J'y défonce la gueule, cette fois ! déclare-
t-il...

— Non, fait Stone, pas tout de suite.

Il tire une paire de menottes de sa poche.

— Passe-lui ça, ça le fera tenir tranquille !

A la façon dont il parle, je pige que mon
brillant compatriote à l'œil poché n'est que
l'exécuteur des basses œuvres. Sans doute, dans
les périodes creuses, lui fait-il passer la paille de
fer !

Toute résistance est inutile... Je suis dans
leurs pattes. J'ai raté ma première tentative de
forcing, il ne me reste plus qu'à jouer perdant.

— Tends tes poignets.

J'obéis.

Clic-clic !

Et voilà le matuche enchaîné .

Ce que la vie est cocasse !

— Nous allons monter sur le pont, décide Stone, nous y serons beaucoup plus à l'aise pour bavarder.

Gilet-de-daim ouvre la marche, je le suis, poussé en avant par le canon du pistolet nickelé que tient l'armateur.

Gentille promenade à travers les coursives de ce bâtiment qui est un yacht ravissant. Partout du cuivre soigneusement briqué et du ripolin...

Ce doit être le barlu personnel du père Stone...

On arrive sur le pont. Une bise aigrelette souffle, venant du large. Au loin, très loin, une barre sombre indique la terre. Je comprends l'idée de Stone en m'amenant ici... En pleine mer il va pouvoir me faire des trucs méchants tout son soûl sans crainte d'être dérangé... Et quel meilleur tombeau que l'Océan ? Un poids de cinquante kilos aux pattes et adieu M. le commissaire... A la revoyure au ciel, comme disait le blond...

In England, pour accuser un type de meurtre il faut le cadavre. Mon cadavre va servir de

nourriture aux poissecailles. Quatre-vingt-dix
kilos de flic, ça remplace toutes les daphnies des
pisciculteurs et c'est tellement plus avantageux !

Le blond m'assied d'un coup de tatane dans
les côtelettes sur une chaise en osier qui frémit.

Alors Stone dit tout haut ce que je pense tout
bas.

— Commissaire, il est essentiel pour moi que
je sache comment vous êtes allé à mon coffre et
qui vous en a donné la combinaison. Alors
maintenant, vous allez me le dire. Ici vous êtes
en marge de la société ; vous pouvez hurler tant
qu'il vous plaira, personne ne peut rien pour
vous...

— C'est vrai, dis-je, on se sent en sécurité
dans l'isolement.

Il ne prend pas garde à cette intervention.

— Inutile de... finasser avec vous, poursuit
le vieux gland ; vous êtes en mon pouvoir et
vous n'en ressortirez pas vivant...

Il approche son visage du mien, si près que je
sens son haleine fétide. Ce mec-là a une mala-
die d'estomac.

— Seulement, enchaîne-t-il, il y a plusieurs
façons de mourir... Il y a la méthode somme
toute douce de la balle dans la nuque, et je vous
la propose pour le cas où vous parleriez... Et
puis il y a les supplices... Les connus, les
communs... et les autres, ceux que peut inven-

ter un homme possédant un peu d'imagination,
vous me comprenez?

Je ne l'ouvre pas.

— Avez-vous quelque chose à me dire? fait-
il...

— Oui, fais-je.

— A la bonne heure! Parlez!

— Stone, vous puez de la gueule!

Il sursaute.

— Quoi!

— Vous puez de la gueule et vous avez le
teint jaune, je vous parie ce que vous voudrez
que vous souffrez d'un cancer du foie...

Il se met alors dans une rage folle. Si vous le
voyiez, on dirait un roquet en fureur. Il
commence par m'invectiver en anglais à un
débit abondant et précipité. Puis il tire un
couteau de sa poche — un canif plutôt — et me
laboure le visage.

— Stone, continué-je en m'efforçant au
calme, ce sont là des manières de vieilles fiotes.
Vous seriez pédoque que ça ne m'étonnerait
pas...

Tout est calme pendant un instant. On n'en-
tend que le grondement de la mer et le ronron
du barlu... A trois mètres se trouve le poste de
pilotage avec un matelot nègre à la barre; il ne
regarde pas de notre côté; lui, ce qui se passe
dans son dos il ne veut pas le savoir. Il est là
pour piloter et il pilote...

Pas d'autres matelots de ce côté-ci... Stone a donné des ordres pour dégager ce coin du pont. Tout ce que je vois, excepté nos sièges, c'est un gros aspirateur abandonné par un homme de peine.

Le grand blond sort son mouchoir et tampomme ses yeux enflés.

— Patron, fait-il sourdement, je crois que, maintenant, vous devriez me le laisser...

Stone fait quelques pas, les mains au dos...

— Ote un côté de ce cabriolet ! ordonne-t-il.

Lui-même appuie son feu dans mes reins pour me faire comprendre que je n'ai rien à espérer d'un coup fourré. Il m'a déjà prouvé qu'il avait du réflexe, le bougre !

Gilet-de-daim enlève, comme vient de le lui ordonner son boss, un côté de la menotte.

— Passe-le à la main courante du bastingage, dit Stone.

Ainsi est fait ! Le blond fait avec la chaîne des poucettes un tour mort après la main courante, puis il m'emprisonne à nouveau le poignet. De la sorte, je suis pratiquement rivé au bastingage.

— Vous voici à notre totale disposition, remarque l'English.

« Vraiment, mon cher commissaire, vous n'avez pas fière allure... »

— Nom de Dieu ! barrit son homme de main, je vous jure que je vais m'en payer une tranche !

Pour commencer il me met une série de une-deux à la face et le raisiné se met à dégouliner sur ma limace comme s'il sortait d'un robinet d'évier.

— T'es pas beau à voir ! certifie le blond...

— Eh bien ! comme ça nous pourrons nous embaucher comme serre-livres, je lui dis, parce que, confidence pour confidence, tu n'as rien d'un Rudolph Valentino, toi non plus...

Je gouaille comme ça et j'ai tort, because les mecs ramollis de l'intellect, ça les asticote ces paroles-là et ils vous le font sentir... Une grêle de coups de pied, de coups de poing s'abat sur moi ! On se croirait à Gravelotte. Qui n'a pas vu le punching-ball vivant ? Approchez, mesdames, messieurs ! Prix unique un franc ! Demi-tarif pour les bonnes d'enfants et les militaires...

J'en prends derrière la tête, dans le dos, dans le prose, dans les jambes. J'ai l'impression d'avoir piqué une tête par la bouche d'une machine à battre !

J'essaie bien de ruer, mais cela m'est difficile, pour ne pas dire impossible... Tout ce que j'arrive à faire c'est me détourner un peu. J'ai l'impression — idiote — que, de profil, je vais mieux encaisser ! Va te faire voir ! Tout ce que j'y gagne c'est un coup de savate dans la virilité... Oh! ma douleur! Il me semble qu'on vient de m'arracher dix kilos de bidoche d'un seul coup avec une fourche. Je pousse un cri bref et je tourne de l'œil... Bonsoir tout le monde... Si vous avez de la place dans vos prières, pensez à moi!

Mon knock-down ne dure pas, quelques secondes tout au plus, mais je comprends le parti que je peux en tirer... En effet, voyant que je tombe en digue-digue, les savateurs arrêtent le massacre.

— Il est mort? demande Gilet-de-daim.

Une main me palpe la poitrine.

— Non, dit la voix de Stone. Il n'est qu'évanoui... Je pense que ce hors-d'œuvre lui ouvrira l'appétit et qu'il se mettra à table après ça...

Il a de l'esprit, le vieux tordu... Et le sens des métaphores par-dessus le blaud!

— Va chercher un cordial pour le remettre en état! dit-il. Tu me rejoindras dans la cabine, nous choisirons quelques petits instruments qui le rendront bavard...

Ce mot « instrument » me fait courir le long de l'échine un grand frisson glacé. Que vont-ils inventer, ces deux fumiers, pour me forcer à l'ouvrir?

Je suis mort de fatigue comme si j'avais accompli un exercice physique très pénible...

C'en est un que de dérouiller une pareille trempe, moi je vous le dis...

J'ouvre les yeux. Ils ne sont plus là... Le pont est complètement désert. Alors j'appelle à moi mon ange gardien en lui demandant de ne pas jouer au chose. Peut-être ma bonne étoile va surgir. Elle brille toujours dans les cas désespérés... Et comme l'a dit le poète : « Les cas désespérés sont les cas les plus beaux ! »

Oui, c'est le moment d'essayer un petit coup. Tout à l'heure, lorsque le gars blond m'a repassé les poucettes, j'ai presque instinctivement mis à profit un petit truc qui se pratique couramment dans le milieu. Ce truc en question consiste à tordre légèrement le poignet au moment où on frappe la partie mobile de la menotte dessus. De cette façon, le bracelet d'acier forme une boucle plus large. En ramenant ensuite le poignet dans sa position normale, c'est-à-dire à plat, on peut quelquefois dégager toute la main.

J'essaie de me libérer les pognes, à tout hasard. Je suis bien obligé à tenter l'impossible...

Vous allez penser que je crois au père Noël. Non, rassurez-vous. Je ne suis pas un locdu et je sais pertinemment qu'un de ces quatre matins un pied-plat quelconque me farcira pour de bon. Seulement, je tiens à montrer à Stone à quoi ressemble un type nommé San-Antonio lorsqu'il se fout en rogne...

Je m'escrime comme une mouche sur du papier collant. Je tire désespérément sur ma chaîne. Ma pauvre main décrit un effroyable mouvement de reptation, elle devient toute bleue... Mes muscles se ratatinent, mes jointures craquent... Je continue néanmoins à forcer et ma paluche se dégage. Victoire !

Victoire, très, très provisoire, mais victoire pourtant ! J'ouvre ma dextre et je la referme une douzaine de fois. Tout est O.K. Me voici libre de mes mouvements. Si je rencontre Stone il sera obligé de vider son magasin de quincaillerie sur ma petite personne pour me stopper, car je suis fermement décidé à ne plus me laisser entraver. Je fonce en avant. Je trébuche sur l'aspirateur... Mon équilibre rétabli, je lâche un regard vers le poste de pilotage. Le matelot noir garde toujours le dos tourné... Il se balance de tout, lui. C'est un gars qui vit sa vie sans s'occuper de celle des autres...

Alors, les potes, il me vient la plus riche idée qu'un homme dans ma situation ait jamais eue : constatant que cette partie du pont est toujours déserte, j'ôte ma veste, l'entortille autour de l'aspirateur et je balance le tout par-dessus bord.

Au moment où le paquet touche le bouillon, je pousse un cri et me précipite derrière une manche à air. Là, entre la manche à air et la cheminée, je suis provisoirement paré.

L'aspirateur a produit un gros plouf. Un instant, ma veste a freiné l'engloutissement de l'appareil dans le bouillonnement des flots. On jurerait qu'il s'agit bien d'un homme.

Le nègre-pilote se met à glápir dans sa cabine vitrée... Le barlu ralentit. Des cris s'élèvent, du monde radine... Il y a bientôt une alignée de types le long du bastingage. Ils se désignent une tache claire qui tournoie loin d'ici dans les profondeurs de l'eau grisâtre...

Mes deux tourmenteurs surgissent brusquement.

— Qu'est-ce qui se passe ? demande le blond...

Les matelots leur expliquent. Alors Stone a un geste de rage et commence à engueuler Gilet-de-daim qui n'a pas vérifié suffisamment la fermeture des menottes...

Mon coup a provisoirement réussi !

CHAPITRE XII

Où il est question d'une allumette

Voyez, bande de truffes, comme la vie est étrange... D'une minute à l'autre, les situations se retournent, les intrigues se nouent et se dénouent...

Lorsque je serai retiré sur mon rocher, j'écrirai un bouquin de philosophie là-dessus, et il sera tellement gros qu'on le mettra, sinon entre toutes les mains, du moins sous toutes les fesses d'enfants apprenant le piano.

Je reste immobile derrière ma manche à air... Tant que personne ne m'apercevra, tous les espoirs de salut me seront permis. Seulement, si jamais un membre de l'équipage me repère, c'en sera terminé de ma valeureuse carrière.

Les minutes s'écoulent, puis les heures... J'ai froid, immobile, et la faim me taraude l'estomac. Cela me fait comme si un rat mordait dans mon estomac à pleines dents...

Je regarde la ligne noire de l'horizon et je ne

la vois pas grossir. Elle ne s'éloigne pas non plus. Non, le barlu est à une grande distance de la côte et il la suit. Sans doute Stone met-il le cap sur une autre partie de l'Angleterre ?

Bon Dieu, si le voyage s'éternise, je ne peux pourtant pas rester indéfiniment plaqué contre cet énorme tuyau ! Il faut que j'agisse. Je n'ai rien du mollusque ! Il n'y a que les moules qui se plaquent contre les coques de bateaux, pas les San-Antonio !

D'après le soleil — difficile à situer à travers les vilains nuages boursouflés — j'estime que midi approche... Je raisonne : dans peu de temps la cloche de bord sonnera pour l'heure de la bouffe. Il ne restera donc qu'un minimum d'hommes en activité. Juste ceux destinés à assurer la marche du bâtiment et le service.

En tout cas, Stone et son casseur de gueules seront à table. En somme, c'est eux que j'ai à redouter... Il n'est pas prouvé que l'équipage soit au courant de leurs petites affaires ; certes, il est composé de truands, mais si je me trouvais nez à nez avec l'un d'eux, et que mon allure soit dégagée, il ne songerait sûrement pas à appeler à la garde. Il me prendrait peut-être — sur le moment en tout cas — pour un passager normal...

Je guette donc avec presque de la dévotion la sonnerie tant attendue...

Elle retentit enfin ! Quelle douce musique !

Les trompettes de la renommée ne me charme-
raient pas davantage.

Je compte posément jusqu'à cent pour donner aux convives le temps de se mettre les pieds
sous la nappe. Puis je me redresse doucement
et, à reculons, afin de ne pas être vu du pilote,
je m'éloigne.

A ma gauche, une porte en pitchpin verni
s'offre. Francisque, qu'est-ce que tu risques ?

Je m'y introduis. Un escalier raide se propose : je l'accepte... Me voici dans une coursive
que j'ai aperçue tout à l'heure. A l'autre bout,
des bruits de fourchettes retentissent. Des
odeurs de bouffetance titillent mon tarin, je
donnerais la photo de mon percepteur pour un
sandwich-poulet...

Je suis tellement flic, voyez-vous, que j'adore
le poulet ! C'est farce, hein ?

Seulement, vous me voyez radiner dans la
salle à manger comme ça, les bras ballants, en
disant :

— Vous permettez, les enfants, que je cro-
que avec vous ?

Non, ça ne serait pas sérieux. S'inviter sans
revolver à la main, c'est manquer de savoir-
vivre...

Je me dis que, d'une seconde à l'autre, un
steward va se manifester. Il va me voir, j'aurai à
agir...

Non, décidément, il faut que je me planque.

Je pousse au petit bonheur la malchance la porte de la première cabine venue.

Manque de pot, il y a justement un type qui est en train de l'astiquer. C'est un mulâtre au visage couturé de cicatrices qu'il ne s'est sûrement pas faites pour un bal masqué. Il tient un flacon d'encaustique pour les cuivres d'une main et une peau de chamois de l'autre !

J'éructe un juron. Décidément, j'ai pas de fignedé aujourd'hui ; choisir pour me carrer précisément la seule cabine occupée sur le moment ! Non, y a que moi, je vous jure !

Seulement, il faut que je prenne une décision rapide. Si je ressors en m'excusant, le gars trouvera ça louche et jouera les Sherlock.

J'entre et referme la porte.

Donc je dois choisir une solution plus directe.

Le mulâtre me sort, en fronçant les sourcils, quelques paroles certainement pertinentes. Je lui souris avec bonté.

Mais autant essayer d'attendrir un bourreau... Cet homme en manches de chemise ruisselant de sueur et truffé de gnons comme une dinde de Noël ne peut pas lui inspirer confiance...

Il élève la voix. Alors je n'hésite plus. Je lui file un atout copieux entre les deux yeux. J'ai mis tout le paquet, comme pour une grande personne. Le gars pousse un sourd grondement et laisse choir son flacon d'encaustique...

Mais il ne s'écroule pas pour autant. Au contraire, j'ai l'impression de l'avoir seulement foutu en renaud ! Il lève un poing qui ressemble à une masse de fer ; comme je ne ressemble pas à une enclume, je fais un saut de côté. Le mec perd l'équilibre et je l'accueille d'un coup de boule au menton. Ça le fait seulement éternuer. Si je ne fais pas immédiatement quelque chose, il finira par m'avoir, car je suis affaibli comme une dame qui se relève de couches. Avec le régime enduré au cours des dernières heures, ça n'est pas surprenant ! Et puis notre bagarre va finir par être perçue de l'extérieur et du trèfle ne va pas tarder à radiner !

Je me recule contre la porte. Il s'avance sur moi en soufflant. Je le laisse approcher...

Je joue les trouillards.

— *No, no*, dis-je en me protégeant le visage de mon bras.

Vous parlez s'il mouille ! Il se prend déjà pour Mathurin Popeye.. Lorsqu'il est tout contre moi, j'y vais de mon coup en vache. Vlan ! Je lui enfonce mon pouce dans l'œil droit.

C'est mou et gluant et ça me donne envie de dégueuler... Quel horrible contact ! Le type pousse un hurlement sauvage. Il titube en se tenant l'œil, car son œil pend sur sa joue. Le sang ruisselle. Oh ! ce paysage !

J'avise alors un flacon de whisky posé dans

une niche. Je m'en saisis par le goulot et de toutes forces, en priant le ciel pour qu'il ne se casse pas car il est plein et son contenu me fait terriblement envie, je le propulse sur le cigare du mulâtre.

Ça fait un bruit de sac de pommes de terre tombant d'un premier étage. Mon adversaire lâche son œil et sa lucidité et s'écroule d'une masse.

Cette fois, il est groggy. Vachement groggy... Il se souviendra de cette croisière, ça, je vous le garantis !

Et miracle ! *Hosanna !* le flacon est intact... Sans prendre garde au sang dont il est enduit, je le dévisse et glou-glou... On joue au ruisseau alimentant le moulin tous les deux.

L'alcool me régénère... Lorsque le Christ a dit à Lazare de ne plus jouer au dormeur, de se lever et d'arquer, il n'a pas obtenu un meilleur résultat... Brusquement, c'est comme si le ciel avait voulu doter l'humanité malheureuse d'un nouveau miracle... Je me sens dans une forme splendide !

Et remettez-nous ça, la patronne !

J'en suis à la moitié du flacon, la tête en arrière, dans la position du gars qui regarde les toiles d'araignées de son plafond ou les soucoupes volantes, lorsque la porte s'ouvrant m'oblige à reculer. Une tête apparaît, celle galonnée d'un officier de bord.

Je ne lui laisse pas le temps de revenir de sa surprise. J'ai sur lui l'avantage d'être un homme aux abois.

Bing ! Un coup de bouteille !

C'était vraiment trop tentant. J'aurais fait ça à ma propre mère dans cet instant, juste pour la rigolade. Que voulez-vous, quelqu'un qui passe sa bouille par un entrebâillement de porte au moment où vous assommez vos contemporains, il doit bien s'attendre à hériter d'une bosse à rendre vert de jalousie un dromadaire. Lui, il ne fait pas d'histoires. Sa casquette s'enfonce jusqu'à ses yeux, sa tête s'enfonce jusqu'à ses épaules... On croirait qu'il est à coulisse comme une longue-vue...

Il se ratatine côté cour et côté jardin...

Je le biche par les épaules et le traîne dans la cabine qui, d'un seul coup, devient infiniment petite... On ne peut pas s'imaginer comme ça prend de la place, deux hommes inanimés dans une cabine de yacht !

Je m'essuie la figure d'un revers de manche. Bravo pour le démolissage ! Seulement maintenant je suis dans le pétrin jusqu'à la lèvre inférieure. Un petit coup de vague et j'avale la sauce nauséabonde !

Maintenant, ma présence va être découverte sous peu. L'absence des deux hommes ne peut passer inaperçue très longtemps et on va les rechercher... Et puis le locataire de cette cabine peut radiner d'une seconde à l'autre... J'aurai bonne mine avec un troisième allongé sur les bras. Je vais être obligé de les empiler comme des bûches de bois !

Non... Maintenant assez joué... Je palpe les fouilles de l'officier. Il porte un revolver sur lui. Drôle d'appareil de bord, hein ?

Il s'agit d'un pétard très courant : un chétif 6,35... Mais c'est mieux qu'une bouteille de whisky pour soutenir un siège. Je le passe dans ma ceinture, à la corsaire... C'est l'air de la mer qui me monte au caberlot sans doute !

Bon, ça se présente un tantinet mieux, mais ça n'est pas le rêve... Ce qu'il faut, c'est que nous regagnions la terre dans les plus brefs délais. J'en ai classe, moi, de la navigation forcée... Les croisières, c'est pas le genre de la maison. Le jour où je partirai pour mon plaisir, ce sera dans d'autres conditions, avec la participation de l'agence Cook et non avec celle de Stone. Et j'aurai dans ma cabine une chouette souris pour me tenir le front en cas de mal de mer, au lieu de deux foies blancs rétamés...

L'officier soupire et ouvre les yeux.

Je lui allonge un coup de pompe dans la tirelire pour le faire tenir peinard. Il décide aussitôt de remettre ça pour le pays des rêves.

Oui, la terre ! J'en ai besoin...

Comment obliger ce barlu à faire demi-tour ? Je ne peux agir par la force. Un seul homme n'a jamais dicté sa volonté à tout un équipage de truands...

Eh bien ! les mecs, c'est dans ces cas-là, que j'ai la nette impression d'avoir du génie...

Si le mot vous paraît trop gros, votre libraire habituel vous remettra, en accord avec mon éditeur, une gomme pour que vous puissiez l'effacer.

En tout cas, il me paraît parfaitement convenir aux petits produits de mon cerveau...

Je refouille à nouveau les vagues de mes victimes...

Une boîte d'allumettes, c'est parfait...

J'avise alors le flacon d'encaustique jeté à terre. Il y a une étiquette écrite en anglais, mais je suis capable de deviner que le mot *fire* veut dire feu...

Je cramponne l'encaustique... Puis j'ouvre la porte et glisse un regard aussi torve que précis dans la coursive. Mon massacre n'a pas éveillé l'attention... Ce sont toujours les bruits de fourchettes et le ronron des conversations. Ah ! je leur promets un bath dessert, à ces bons messieurs.

J'arrose consciencieusement les parois de bois du couloir. Puis j'enlève le cylindre d'extinction et je le balance par le hublot. Ensuite de quoi je frotte une allumette et la jette sur le liquide répandu...

Si vous pouviez voir cette belle flamme haute

et claire, ça vous réjouirait le cœur en vous rappelant les bonnes flambées dans les cheminées de votre enfance... En quatre secondes, le couloir est un brasier et pourtant le bruit des convives n'a pas changé de tonalité. Ils continuent de bâfrer, ces tordus, alors que le barlu flambe...

J'émets le petit ricanement diabolique (genre Lagardère viendra-t-à toi) convenant à la circonstance et je m'élance dans l'escalier...

Cette fantaisie va peut-être me coûter cher, mais tant pis, du moins aurai-je la satisfaction de boire la tasse au milieu de ce nid de frelons !

C'est bon de crever quand on supprime par la même occasion les gens à qui l'on doit sa mort...

Une fois sur le pont, je bondis au poste de pilotage. Le nègre est toujours là, fidèle au poste...

Je lui saute sur le poiluchard avant qu'il ait eu le temps de piger...

Je lui brandis mon soufflant sous le nez et il me semble qu'il devient gris comme un premier novembre.

Comment dit-on terre en anglais ?

Si au moins j'avais encore mon petit dico... Mais il est resté dans ma veste.

— Terre ! je lui dis en montrant la ligne sombre de l'horizon...

Il ne pige pas... Je fais un effort mnémonique terrible.

— *Ground !*

Cette fois il entrave. D'un signe de tête, il me fait oui... Il tourne la roue de son gouvernail et je constate que le navire change de position.

Peu à peu, il décrit un vaste cercle...

Nous piquons lentement, trop lentement à mon gré, sur la terre.

Je regarde derrière moi. Le feu n'est pas encore apparent.

Voyons, un barlu met combien de temps pour flamber ?

A cet instant, des cris retentissent.

Le feu est découvert !

CHAPITRE XIII

*Où il est question d'une partie
de cours-moi après je t'attrape !*

Cette rumeur qui enfle et grossit rapidement indique plus explicitement qu'un graphique que mon incendie a pris et bien pris.

D'ailleurs, de la fumée sort de toutes les ouvertures ! Puis ce sont des hommes qui, brusquement, jaillissent de partout. Ils gueulent, ils gesticulent. Un officier prêche l'appel au calme... Quelques matelots mettent une pompe en batterie. Grâce à cela, je suis assuré d'avoir la paix pendant un bon petit bout de temps.

Dans le tube acoustique placé dans la cabine de pilotage, une voix angoissée jette un ordre... Le nègre fait machinalement un signe d'acquiescement. Je comprends qu'on vient de lui dire de mettre le cap sur la terre... Comme ça, il n'a fait que précéder les directives de ses supérieurs.

Il jette de temps en temps un regard à

l'automatique que je tiens braqué contre lui. Il sait que je tirerai...

Il est très calme, malgré son angoisse. Voilà une boule de neige qui sait dissimuler ses sentiments.

La panique, sur le pont, est à son comble... Le va-et-vient continue... Et, soudain, je fais la grimace... L'officier que j'ai estourbi surgit... Il est en compagnie de Stone et de Gilet-de-daim. Il doit les affranchir sur les causes du sinistre...

Stone est d'un calme olympien. On dirait que ça n'est pas son barlu qui flambe et que la situation se présente bien pour lui. Par contre, mon compatriote ne partage pas cette réserve. Il gueule, il gesticule, il court sur le pont en tous sens, une pétoire grosse comme un canon antichar à la main... S'il m'aperçoit, je suis assuré d'avoir ma ration de pruneaux pour cet hiver !

Heureusement, le poste de pilotage est très surélevé et moi je me tiens accroupi de façon à n'être point visible du pont.

Il ne reste qu'à attendre... Une petite brise active le foyer. Maintenant, c'est du sérieux. Je crois que tout le bateau va griller comme s'il était en celluloïd... Quel incendie, madame ! Cecil B de Mille verrait ça, il voudrait reconstituer le même dans ses studios... Du reste, ça vaut le coup d'œil...

Au-dessus de ma tête, la radio grésille

vilain... Il y a du S.O.S. à tous les étages, les gars... Et du sauve-qui-peut idem !

Malgré que l'heure soit vachement grave, j'éprouve une espèce de sombre jouissance. Tous ces caïds sont pareils à des rats. Ils ont les copeaux pour leur vilaine peau !

L'incendie prend des proportions terrifiantes. Plus besoin du chauffage central. La moitié du barlu grille et les flammes montent très haut dans l'air, je vous prie de le constater.

Soudain, la porte du pilotage s'ouvre à la volée et je découvre le visage convulsé par la rage de Gilet-de-daim. Il est méconnaissable, on dirait une manifestation de l'enfer... Son visage est vert et sa bouche est tordue comme s'il avait pris une attaque de paralysie. Ses yeux fous lancent des éclairs.

— Fumier ! gronde-t-il, je savais bien que c'était toi !

Il a son feu à mufle court.

Pan ! Pan ! Pan !

Trois bastos voltigent dans le poste de pilotage...

Je n'ai eu que le temps de me jeter par terre et c'est le nègre qui déguste... Il pique du nez sur son gouvernail et répand son bon raisiné sur le linoléum.

Je ne perds pas mon temps à lui demander si ça va. A mon tour de cracher de la mitraille ! Après les trois coups de feu du blond, il y a eu

ce petit clic ridicule que font les rigolos pour
annoncer que le magasin est vide.

Je ne me presse pas, moi... Je vise soigneusement entre les châsses de cette saloperie. Je
pense très fort à la môme Grace. Le moment de
la justice a sonné, pour employer un langage
fleuri. L'autre andouille est déjà mort de
frousse. Il sait qu'il s'est précipité trop vite,
qu'il a raté son coup et qu'il va incessamment et
peut-être avant, passer à la casserole.

Mon feu fait un petit bruit comparativement
à son canon de marine.

Soudain, un troisième œil lui naît au milieu
du front. Un œil tout rouge, comme celui de
Moscou.

Il ne profère pas le moindre mot. Il reste un
instant debout, très droit, immobile comme si
on l'avait statufié. Puis il s'écroule en arrière et
débaroule l'escalier.

M'est avis que, cette bonne chose étant
réglée, il faut penser à la situation... Elle
devient critique... Nous sommes loin de la terre
et il n'y a pas un bateau en vue... Quant au
nôtre, vu de loin, il doit ressembler à une
omelette flambée.

Le feu a gagné le pont et c'est le grand sauve-
qui-peut ! Les chaloupes à la mer et chacun
pour soi, Dieu pour tous !

Le tumulte est à son comble... Ça se bouscule

au portillon ! Ça piétine, ça se fout des gnons
sur la tomate ; ça gueule...

C'est pas beau à voir, des hommes qui ont
peur, croyez-moi !

Bientôt, j'avise deux grandes chaloupes qui
s'éloignent du bateau à force de rames...

J'ai un triste sourire... Me voilà seulard sur le
yacht en flammes. Mon astuce s'est retournée
contre moi... je vais claquer comme un rat dans
l'immense brasier flottant.

Je descends sur le pont.

C'est alors que j'ai une secousse... Une forte,
une vraie... Droit devant moi, sur la passerelle,
il y a Stone. Un Stone implacable, très calme,
très sûr de soi... Il tient un revolver à la main...

— Ah ! vous voilà ! dit-il. Je ne savais pas où
vous vous cachiez mais je pensais bien que vous
vous montreriez...

Il a un feu, j'en ai un...

Nous sommes seuls sur le barlu... Au lieu de
nous occuper de notre salut, nous ne pensons
qu'à nous bousiller. Chacun a besoin de la mort
de l'autre...

Je fais un saut de côté pour le dérouter et je
presse la détente de mon arme. Mais il n'a pas
été dupe. Lui aussi a fait un saut de côté. Ma
balle lui siffle aux oreilles et va se perdre dans
les flots.

— Manqué, dit-il seulement...

Je ne songe pas à persifler... Ce que

j'éprouve en ce moment n'est pas racontable. Je
suis coincé dans l'angle du bastingage. Stone va
tirer... Je ne peux rien pour moi...

J'adresse au ciel une petite prière en priorité.

— Mon Dieu, je vous en supplie, ne faites
pas le méchant, je suis un bon petit San-
Antonio qui n'a jamais fait de mal aux honnêtes
gens...

Mais le Bon Dieu n'entre pas dans ces
considérations extra-humaines.

Stone sourit...

Et son sourire se transforme en grimace. J'ai
eu un réflexe inconscient, comme le sont du
reste tous les réflexes. J'ai pressé la détente de
mon feu une seconde fois, sans viser, sans y
penser, alors que j'avais la main pendante. La
balle est allée se ficher dans sa viande, en haut
de la cuisse... Il pâlit et serre les dents...

Un mot anglais que je ne sais pas traduire
mais qui doit fort bien exprimer sa pensée lui
vient aux lèvres.

— D'accord, je lui fais. Vous êtes fini...
Vous allez griller sur votre damné rafiot comme
un beignet... Moi, je vais claquer d'une balle,
c'est beaucoup mieux...

Il tire...

Un coup de fouet me fait chanceler. Celle-là
je l'ai interceptée vilain...

Je ne sens rien ; j'ignore où la balle m'a
atteint...

Il tire à nouveau, et à nouveau je sens ce coup de fouet sur mon corps.

Pourtant je ne perds pas connaissance... Une très vague douleur naît en moi... Elle s'installe, elle ronge...

— Pas d'erreur, je murmure, tu vas crever...

J'éclate de rire en voyant qu'un mât en flamme va tomber sur nous. Stone me regarde en grimaçant un sourire... Il ne se rend compte de rien, il est tout à sa joie sadique.

Un craquement ; il se retourne : trop tard ! Le mât lui arrive sur le coin de la hure avant qu'il ait eu le temps de dire « ouf ». Il pousse un cri. La pièce de bois lui a cassé les reins et il gît sur le pont, lamentable comme un chien à l'agonie... Mille flammèches, pareilles à des insectes lui sautent dessus, voraces !

Ses fringues s'enflamment. Il hurle ! Terminée, la superbe de l'armateur...

Je fais un pas en avant, je ne tombe toujours pas... Par contre, je constate que je ne peux plus lever le bras gauche. C'est à l'épaule que j'ai bloqué les pruneaux...

Me voici seul sur l'épave en feu... Le barlu va couler d'un moment à l'autre... Ma seule ressource consiste à piquer une tête dans la baille, mais, dans l'état où je suis, il m'est absolument impossible de nager.

Que faire ?

Le mât est tombé à moins de vingt centimè-

tres de moi. Dans la chute, il s'est brisé en
tronçons multiples.

Je cramponne un gros morcif dont seule
l'extrémité brûle. C'est du bois dur et ça pèse au
moins trente kilos... Je réussis cependant à le
balancer par-dessus bord.

La flotte éteint le foyer ardent. Je repère le
bout de bois dansant sur les flots. J'enjambe le
bastingage et je saute au jus...

Me voici dans la flotte. Je tousse, je fais les
mouvements nécessaires avec trois membres
seulement... J'ai perdu de vue le tronçon de
mât et j'ai des sueurs froides, moralement du
moins.

Tout à coup, je ressens un coup sur la noix.
C'est mon mât que je viens de heurter de la
tête... Je le saisis de mon bras valide, je passe
une jambe par-dessus et j'attends qu'il veuille
bien m'éloigner du yacht...

La flotte saumâtre me rentre dans la bouche,
dans le nez, m'irrite la gorge... J'ai froid, j'ai
mal... Je voudrais être dans un bon lit douillet
et dormir, dormir jusqu'à la consommation des
siècles. C'est ça qui serait O.K. !

« Attention, San-Antonio, te laisse pas
aller... Si tu lâches la rampe t'es ficelé... Tiens
bon, mon gars... Tiens bon... »

Je m'accroche désespérément à mon morceau
de bois. Je l'étreins farouchement... Jamais je
n'ai serré si fort une gonzesse.

C'est ça qui serait bon aussi... Une belle gonzesse dans le lit douillet dont je rêve... Elle me donnerait sa bonne chaleur douce et parfumée... Sa chaleur de fille... Elle sentirait la santé et l'amour... Je n'aurais pas besoin de me cramponner, je lâcherais tout et je me blottirais dans ses bras comme un môme...

Oh ! oui, c'est fameux !

« Hé ! Fais gaffe, San-Antonio. Tu es en train de dérailler doucement... C'est pas vrai, tu n'es pas au pieu avec une mousmé ! T'es au milieu de l'océan, blessé, malade, affaibli... Tu te cramponnes à un morceau de bois pour essayer de prolonger un peu ta garce de vie.

« Elle est garce, la vie ; mais elle est bonne tout de même...

« Malgré ce goût de sel dans la bouche, malgré cette fièvre qui te ronge, cette blessure qui t'affaiblit... Elle est bonne... Elle est rose... Rose comme la jolie gonzesse qui est dans le lit avec toi et qui te caresse doucement, tendrement...

« Une gonzesse sensationnelle, vraiment... Elle a des cheveux blonds, comme Grace, et un petit sourire triste et lointain, toujours comme Grace...

« Elle te chuchote des mots doux qui te font chaud au cœur. Elle te dit que tu ne crains rien, que tu peux tout lâcher, que tu es dans un bon lit, que la chambre est chauffée… Elle te tient la main… »

Une main de femme, moi j'aime ça…

« Il ne faut pas avoir peur, San-Antonio, t'es paré… Tu les as eus, et maintenant il faut te soigner ; te laisser soigner…

« Quand on a la chance d'avoir à côté de soi une gentille petite souris, toute blonde, toute rose, avec la peau douce et la voix comme du duvet… Oui, quand on a cette chance-là, on n'a plus besoin de se cramponner à un con de morceau de bois qui vous communique sa frigidité…

« Lâche tout, San-Antonio, te bile pas, mon gars…

« La vie est bonne, la vie est rose… »

Je fais un saut terrible !

Pas d'histoire ! Voilà encore que je déraille… Ça y est, j'ai largué mon bout de mât ! Nom de Dieu ! Je suis fini… Je ne peux plus remuer les bras, je ne peux plus nager… Je coule… Je coule…

— Ne vous agitez pas, me dit une voix…

J'ouvre les yeux : j'aperçois une belle souris blonde et rose, habillée en blanc…

Derrière elle se tient le chef. Parfaitement, le boss. Je suis en pleine agonie, en plein délire…

— Ne vous agitez pas, répète le chef. Vous êtes tiré d'affaire, mon petit...

Quand il m'appelle mon petit, le tondu, c'est qu'il est ému comme une jouvencelle...

— Le mât ! je dis. Laissez-moi attraper ce putain de mât !

— Vous n'en avez plus besoin, San-Antonio, on vous a repêché. Vous êtes dans un lit ! Dans un lit !

Je murmure :

— Dans un lit !

Ça me paraît impossible... Bon Dieu, il n'y a pas une minute, j'étais entortillé après ce bout de bois ! Comment pourrais-je me trouver dans un vrai lit ?

Et puis, le chef, ici ! Vous voyez bien que je délire... Je suffoque, du reste, la flotte me rentre dans la carcasse, je prends l'eau comme un panier à salade...

Un panier à salade ! Un flic transformé en panier à salade ! C'est gondolant, nom de foutre !

Je ris, mais ça me fait mal quand je ris, c'est comme dans la blague !

— Il rit ! dit une voix de femme...

— C'est une de ses caractéristiques, affirme la voix du boss.

Pas d'erreur, je ne suis plus dans le cirage ! Je vis ! Je vis...

— Patron, fais-je...

— Mon petit ?
— La vie est rose, hein ?
— Oui, dit le boss, la vie est rose...
Sur cette certitude, je m'endors...

QUATRIÈME PARTIE

CHAPITRE XIV

Où il est question de neige en plein été !

L'heure la plus épatante dans cette clinique de Londres, c'est celle qui précède le sommeil du soir.

Car il y a plusieurs sommeils : celui du matin, celui de l'après-midi et celui de la nuit !

Le soir, après le repas, entre la poire et le dodo, je reste une petite demi-heure seul avec mon infirmière. Elle s'appelle Dolly et elle parle le français... Elle est blonde et rose.

Je l'ai paluchée un soir à l'improviste, comme elle était penchée sur moi pour ajuster mes oreillers.

Nos yeux se sont croisés et elle a rougi parce que les miens contenaient un tas de choses qui font rougir les gonzesses bien élevées.

J'ai fait : « Mff » avec ma bouche pour l'inviter à trinquer.

Elle a hésité. Je croyais qu'elle allait m'envoyer ramasser des fraises mais, brusquement,

j'ai eu ses lèvres sur les miennes, comme on dit
dans les romans pour jeunes files avancées. Sa
bouche avait un goût de fruit mûr... J'ai mordu
là-dedans comme dans une pomme. Et ma main
est allée en exploration... D'abord, elle s'est
cambrée... Elle a failli m'échapper, la petite
garce ! Seulement, j'ai attaqué d'après mon
dispositif 32 *bis* amélioré et tout ce qu'elle a pu
faire, ç'a été de se jeter sur moi.

Y a des habitudes à prendre. Tous les soirs on
remet la gomme ! En variant, bien sûr... Et elle
tire le verrou... C'est rigolo tout plein ; les
dames qui voudraient des explications complé-
mentaires n'ont qu'à se mettre en rang par
deux, je leur expliquerai ça en long et peut-être
en large...

— Alors, murmure Dolly, lorsque, ce soir-
là, j'ai achevé ma démonstration, vous partez
demain ?

— Mais oui, mon ange.

— Vous retournez en France ?

— Pas tout de suite. J'ai un petit travail à
terminer...

— Alors nous pourrons nous revoir ?

— C'est ça, et nous revoir dans un endroit
peinard où je pourrai te parler de la France,
chère âme !

Elle m'embrasse farouchement et sort.

C'est une drôle de pétroleuse. Des gerces
comme ça feraient fondre une banquise.

Lorsqu'elle est sortie, je me mets à penser avec méthode. Pas à elle, non ! Les souris, ça va sur le moment, seulement faut pas leur consacrer son intellect because on est vite déguisé en vieillard sénile !

Je pense à l'affaire, car elle est loin d'être terminée.

Peut-être, curieux comme vous l'êtes, aimeriez-vous être affranchis sur mes ultimes aventures ? C'est bien simple, un chalutier, alerté par les S.O.S. du yacht, est arrivé sur les lieux du sinistre. Il n'a trouvé qu'un pauvre mec évanoui tenant serré un tronçon de mât... J'étais, paraît-il, tellement mal en point qu'ils m'ont cru mort. Seulement, San-Antonio ne calanche pas comme ça.

Pour être fadé, j'étais fadé. Jugez-en plutôt !

Une congestion pulmonaire ! Une blessure large comme un verre à porto au sommet de l'épaule ! Un état de faiblesse catastrophique ! Ma tension, pour vous dire, était tombée à quatre et on avait peur que le transport me soit fatal... Mais j'ai tenu le coup.

Voyez : auréomycine, transfusions et tout le barnum !

Au bout de huit jours, j'étais tiré d'affaire. Au bout de quinze, je n'avais plus de température et je me levais, au bout de vingt je pouvais quitter la clinique...

L'histoire du yacht a fait un drôle de cri dans la presse. Mais on a mis ça sur le compte d'un accident. L'épave ayant coulé, il ne restait pas traces du massacre. Les matelots rescapés n'ont pas soufflé mot.

Brandon est venu me reconnaître, il a alerté le chef qui, malgré son soi-disant désintéressement de l'affaire, a bondi à mon chevet. A eux deux, ils ont fait le nécessaire pour que mon nom ne soit pas prononcé...

La justice anglaise est tellement pointilleuse ! Mieux valait pour ma tranquillité que le coup s'efface...

J'ai fait à Brandon un résumé impeccable des faits, sans rien omettre. Qu'il se débrouille...

Un coup discret est frappé à la porte.

— Entrez ! dis-je.

La garde de nuit passe sa trogne de mulot par l'entrebâillement.

— *It's a policeman !* dit-elle...

— *O.K. !*

Brandon entre. Il porte un imperméable de bonne marque, couleur de muraille triste. Il a son chapeau à bord roulé à la main, son parapluie roulé accroché au bras, et sa femme bien roulée aussi doit être *at home* en train de rouler le pudding familial.

— Tiens ! fais-je, quel bon vent !

Brandon m'adresse un sourire compatissant, courtois, plein de bonne camaraderie. Il jette un coup d'œil professionnel à ma feuille de température dont la ligne journalière est descendante.

— Vous allez bien ! fait-il d'un ton empli d'une réconfortante certitude.

— Le Pont-Neuf ! admets-je...

— Bravo... Votre blessure ?

— Douloureuse, mais en bonne voie et le toubib m'a juré que je ne resterai pas paralysé...

— Parfait, parfait...

Il pose la main sur le dossier d'une chaise.

— Vous permettez ?

— Faites...

Il s'assied, pose son parapluie bien roulé entre ses jambes, accroche après le manche de l'engin son chapeau à bord roulé et tapote le col de chemise que sa femme bien roulée lui a amidonné afin qu'il ait davantage l'air d'un dindon, sans doute.

— Commissaire, je suis venu vous parler de notre affaire.

— Bonne idée !

— Suivant vos indications, j'ai perquisitionné chez Stone. J'ai pu ouvrir le coffre et j'ai découvert la cargaison de cocaïne. Cet homme était à la tête d'un important trafic de stupéfiants. Il avait de nombreux revendeurs dans tous le pays et je le soupçonne même d'avoir eu un rayonnement international.

— Je suis bien aise de l'entendre...

— Ce que je ne comprends pas, dit-il, c'est comment, partant de Rolle, condamné à mort pour homicide, vous êtes parvenu à démasquer cet homme ?

— Je crois vous avoir résumé le processus de mes investigations, mon cher collègue.

— C'est vrai. Aussi, comprenez, ça c'est pas une question que je vous pose. Je dis cela sur un ton vague. D'après vous, quel rapport existe-t-il entre Stone et Rolle ? Car il en existe un, puisque partant de l'un, vous êtes arrivé à l'autre...

Je me frotte le menton où ma barbe n'en finit pas de croître.

— Cette fille, Martha Auburtin... dis-je enfin. Je voulais l'interroger au sujet d'Emmanuel Rolle. En la cherchant, j'ai trouvé son cadavre. Ce qui, automatiquement, m'a amené à chercher son assassin présumé...

— Higgins ?

— Higgins, oui... L'homme aux cheveux gris. A propos de ce mec, vous avez du nouveau sur lui ?

— Non. Il semble s'être volatilisé...

— Sa voiture, l'Hillmann rouge ?

— Nous l'avons trouvée dans un garage de Douvres où il la laissait régulièrement, ce qui m'inciterait à penser qu'il a filé en France.

Elle s'y trouvait depuis plusieurs semaines. Aucune trace intéressante. Cette auto portait un faux numéro minéralogique...

Je fais la moue.

— Oui, de ce côté, ça m'a l'air bougrement négatif.

— Ça l'est !

— Vous pensez qu'Emmanuel Rolle était affilié à la bande ?

Je hausse les épaules.

— Difficile à dire. Franchement, je ne puis me prononcer...

— Tout ceci reste très mystérieux, soupire Brandon...

— En effet...

Son nez pointu bouge. On dirait un lapin. Il a envie de me demander quelque chose, mais il n'ose le faire... J'attends qu'il se décide ; de mon plumard, je suis le petit roi.

— Dites-moi, San-Antonio, dit-il. Vous sortez de l'hôpital demain, n'est-ce pas ?

— Exact...

— Vous... vous rentrez en France immédiatement, bien entendu ?

Je souris.

— Pas sûr...

— Vraiment ?

— Non, j'aimerais retourner un peu à Northampton. J'ai dans l'idée qu'il y a des choses à
découvrir là-bas... C'est de ce pays que partait
la ficelle remontant à la source, c'est-à-dire au
coffre de Stone. Il faut toujours reprendre les
choses à leur source...

— Très bien...

Il paraît soulagé.

— Monsieur le commissaire, verriez-vous un
inconvénient à ce que je vous assiste ?

Je le regarde.

— Ecoutez, Brandon, fais-je, jouons franc-
jeu, voulez-vous ? Sous le terme courtois « d'as-
sistance » vous entendez me surveiller car vous
me trouvez un peu trop saccageur, non ?

Il se tait. Ses genoux pointus se serrent sur le
pépin roulé.

— Nullement, assure-t-il. Je suis sincère,
commissaire... Je pense que vous êtes une
nature d'exception car votre méthode relève
plus du « sens » que de la logique et j'aimerais
vous voir travailler. De plus, il me semble que
vous ne parlez pas l'anglais...

Je l'examine attentivement. Son visage criblé
de taches de rousseur est pur comme un ciel de
printemps.

Il est sincère, je le sens.

— A mon tour d'être franc, Brandon. Oui,
je marche au pifomètre, au nez, au pif, au tarin

pour être précis ; seulement c'est un système qui ne peut avoir d'efficacité que dans la fantaisie...

« Oui... Si vous m'accompagniez, mes faits et gestes prendraient aussitôt des allures de démarche et c'est ça que je dois éviter... »

Il soupire :

— *Sorry...*

— Non, ne regrettez pas. Tenez, on va faire une chose : attendez-moi à partir de demain soir à l'auberge du *Lion Couronné*. Au moindre accroc je vous fais signe, ça boume ?

Il a un petit rire en incisives.

— Ça boume, répète-t-il avec son accent qui fait très Philéas Fog.

Il reprend son riflard, son chapeau et sa dignité. Il se lève.

— Avez-vous besoin de quelque chose ?

— D'une voiture automobile...

— J'en mettrai une à votre disposition demain dans la cour de la clinique...

— Merci. Oh ! dites, à propos de voiture, j'en avais loué une à un compatriote à moi : garage *Excelsior,* Northampton. Cette guinde est restée devant chez Stone...

— Ne vous tourmentez pas, murmure Brandon, il y a longtemps que je l'ai réexpédiée à son propriétaire.

Il sort.

Ces mecs du Yard, y a pas à baver, ils sont organisés...

Enfin, ce qui fait plaisir dans tout ça, c'est que les caïds anglais demandent à prendre du feu...

Le petit Français déguisé en curé qui vient leur lever une affaire de neige...

En plein été !

Vous allez dire que je vanne. Sans doute est-ce vrai, mais avouez qu'il y a de quoi !

CHAPITRE XV

Où il est encore question
d'un pélican triste

— Bonjour, monsieur Standley, vous me reconnaissez ?

Le vieux pharmago est plus triste que jamais, avec son goitre, sa peau grisé et ses yeux à demi fermés...

Il a un signe de tête affirmatif...

— A la bonne heure ! Je vois que vous êtes physionomiste...

Il me considère mornement. Sa boutique est vide de clients. Des araignées sont en train de mettre au point un service d'urbanisme pour la capture générale de toutes les mouches qui décorent les bocaux de points noirs. Leurs toiles s'étendent de partout...

Je referme la porte et je m'avance dans le magasin.

— Vous avez vu, cette pauvre Martha ? dis-je... Pas de chance, hein ? Une jolie fille comme ça...

Il hoche la tête d'un air lamentable. Lui, il n'a plus la force de s'apitoyer sur les malheurs de ses relations, il est descendu jusqu'au fond de la tristesse et il y bivouaque.

Veuillez enregistrer que, depuis mon entrée, il ne s'est pas exprimé autrement que par signes, ce qui pourrait laisser entendre qu'il est devenu muet, depuis la dernière fois...

— Tiens ! fais-je... J'ai beaucoup parlé de vous, il y a quelque temps...

Il lève une paupière, une seule, et son œil jaunâtre de cheval malade me fixe durement soudain.

— Vraiment ? murmure-t-il.

C'est bon de l'entendre parler. Son verbe ressemble un peu à un croassement, mais c'est du moins un bruit. Et le bruit, dans ce magasin, c'est ce qui fait le plus défaut (ça et les clients !).

— Oui, renchéris-je, revenant à mon idée. Je parlais de vous...

— Puis-je savoir avec qui ?

— Avec un homme qui vous connaissait... Je dis qui vous connaissait car il est mort... Vous avez dû lire ça dans le journal, puisqu'il s'agit de M. Stone.

Il rabaisse sa paupière lourde...

— N'est-ce pas ? insisté-je.

— Je ne sais pas de qui vous parlez, fait le bonhomme. Comment avez-vous dit ?

— Stone... Les Messageries Stone, Bristol...
Le yacht en feu...

« Vous ne lisez donc pas les journaux ? »

— Fort peu, et les faits divers ne m'intéressent pas beaucoup...

— Pourtant Stone vous connaissait puisqu'il m'a parlé de vous, dis-je, mentant avec l'aplomb que vous savez.

— Cela me surprendrait, fait le potard sans élever la voix d'un quart de poil.

Il va être dur à manœuvrer. Il est anglais, il connaît la loi anglaise. Il sait que sans une ombre de preuve je ne puis rien contre lui...

Seulement, il ne connaît pas encore San-Antonio, ce marchand de purges ! Il ne sait pas que la loi anglaise, moi, je m'en torche !

Du reste, je vais le lui prouver sur l'heure !

— Je crois que nous ferions bien de mettre les choses au point, monsieur Standley...

Il reste debout, pensif, ressemblant de plus en plus à un pélican triste qui croyait s'être tapé un bon poisson et qui s'aperçoit qu'il n'a cravaté que des ressorts de sommier.

— Voyez-vous, dis-je, j'ai pu, grâce à certaines indications, découvrir le pot aux roses... J'ai mis la patte sur cette affaire de stupéfiants... Stone, acculé, m'a appris que vous étiez dans le circuit. Votre soi-disant assistante faisait le transport et votre officine en demifaillite servait de plaque tournante à la drogue...

Il secoue ses épaules en bouteille d'eau Perrier.

— Vous construisez un roman, ricane-t-il... Je ne vois pas pourquoi vous me le racontez à moi... Si vous pensez une chose semblable, allez le raconter à la police !

Je vous avouerai que je suis un peu décontenancé par la fermeté de cette attitude. Fais-je fausse route ? Pourtant mon instinct me dit que le vieux bluffe vachement. De toute façon il n'est plus temps de battre en retraite...

— Ecoutez, Standley. Je pense que vous êtes un homme sensé, hé ?

— Je le pense également, répondit-il.

— Bon, alors ouvrez grandes vos esgourdes (oreilles en français académique) et ne vous hâtez pas de me répondre... Si je suis venu seul ici, c'est parce que j'ai une idée derrière la tête et cette idée consiste en un marché que je vous propose...

— Tiens, tiens...

— Interjections non valables, je rigole. Attendez la suite. Je sais quel rôle vous avez joué dans cette histoire. J'ai trouvé une lettre que le grand au gilet de daim, vous savez, le Français ? a écrite à Martha. Dans cette lettre il parlait de vous..

Je ne précise pas qu'il se contentait de l'appeler « le vieux ».

« Cette bafouille, poursuis-je, je l'ai jointe au long rapport que j'ai écrit sur mon enquête. Le Yard serait très heureux de l'avoir. Il vous coûterait cher, ce rapport, Standley : très cher. N'oubliez pas que Martha Auburtin est morte empoisonnée. Elle était votre complice et vous, vous êtes marchand de poison, ce sont là deux considérations dont la police anglaise ne manquera pas de tenir compte, croyez-moi... Si bien que vous pourriez fort bien vous retrouver un matin avec deux mètres de chanvre noués autour du cou. Vous voyez ce que je veux dire ? J'ai vu pendre Emmanuel Rolle, c'est même pour l'assister que j'étais venu dans votre brumeux patelin ; eh bien ! ça n'a rien de folichon, parole de flic !

Il demeure immobile...

— Vous ne dites rien ? fais-je, histoire de l'asticoter...

Il hausse les épaules.

— Que répondrai-je à une histoire aussi stupide, aussi privée de sens pour moi ? Vous faites fausse route, monsieur le policier ; remettez ce rapport, cette lettre aux autorités d'ici qui agiront comme bon leur semblera...

Merde arabe ! Je n'en viendrai jamais à bout ! Je me lève...

— D'accord, murmuré-je, puisque vous y

tenez... Moi, ça m'aurait arrangé de devenir amnésique moyennant un millier de livres !

Il hausse son même store.

— Oui. Vous comprenez, insisté-je, ici j'enquête à titre officieux, tout ce qu'il y a d'officieux et de privé. Je n'ai qu'un souci : rentrer au plus tôt chez moi et oublier tout ce biseness à la graisse de cheval mécanique, vous comprenez ?

— Vous êtes un maître chanteur ? demande-t-il, exactement avec la voix qu'il aurait pour demander un renseignement à l'agence Cook.

— Oh ! C'est là un bien gros mot, monsieur Standley...

— Est-ce une caractéristique de la police française ? insiste-t-il.

— C'est aller un peu vite et un peu loin que de prétendre cela !

— Alors, voulez-vous avoir la bonté de partir d'ici ? déclare-t-il.

— Je vais prévenir la police...

— Vous vous répétez. Faites-le, mais quittez mon domicile...

Je n'ai encore jamais trouvé un oiseau possédant cette maîtrise.

J'avise un appareil téléphonique mural.

— Vous l'aurez voulu, dis-je...

J'écarte le vieux jeton d'une bourrade ferme. Je vais à l'appareil. Dieu merci ! je me suis muni du numéro de l'auberge afin de pouvoir appeler Brandon.

Je décroche. La standardiste gueule :

— Allô !

— *Give-me the 41-42, please !*

Elle me le passe.

— *Inspector Brandon, please !*

La voix du collègue retentit.

— Oh ! C'est vous. Heureux de vous entendre. Du nouveau ?

— Oui, dis-je en regardant le pharmacien droit dans les mirettes. Voulez-vous me rejoindre chez Standley, l'employeur de feue Martha Auburtin. Je vais vous y donner une preuve de sa culpabilité !

— J'arrive.

Je pose l'écouteur sur sa fourche.

— Voilà, dis-je, puisque vous préférez ça...

Cette fois, il a l'air ébranlé. Il tourne la tête de côté.

— Ça peut encore s'arranger moyennant mille livres, insisté-je...

Pour toute réponse, il a un haussement d'épaules méprisant.

Vieux fumelard ! Il m'aurait lâché un millier de lacsés, cela constituait une preuve.

Lentement, il passe derrière ses vitrines.

— Hé là ! petit père, dis-je en exhibant ma rapière, cherchez pas à voyager ou alors je fais du dégât dans la strass !

Il ne répond rien. Il ouvre un petit tiroir... Si c'est un pétard qu'il cherche, je lui promets une décoction de valdas avant qu'il l'ait levé de dix centimètres... Mais non... Il sort une petite boîte de bonbons. Il l'ouvre, s'empare délicatement d'une sorte de boule de gomme et se la fourre dans le bec.

— C'est pour la toux ? je demande en riant.

Il secoue la tête.

— Oui, dit-il, et pour le reste.

Paroles sibyllines, penserez-vous ?

Pas tellement, car ce sont ces dernières. Il s'effondre comme un mur s'écroule, sans pousser un cri...

Le cyanure est une chose qui ne pardonne pas.

Je bondis. Il est trop tard. Il aura prononcé ses derniers mots en français... La vie est étrange !

Ce que j'ai pris pour des bonbons, ce sont des boules de poison.

Il s'est fait ça à la Goering, Standley... Le voilà débarrassé de son goitre, de la vie et de ses emmerdements.

Moi qui voulais obtenir une preuve de sa culpabilité !

Seulement hélas, les morts ne sont pas bavards.

*
**

— L'hécatombe continue, Brandon, dis-je à mon confrère au parapluie roulé.

Ce gars-là, vous le feriez asseoir sur un ménage de hérissons, il ne se départirait pas pour autant de son petit air d'enfant bien sage. Il fait écolier studieux et, sur sa mine, on est prêt à lui refiler le premier prix d'exactitude et un accessit en math.

Il examine le cadavre du potard tandis que je lui relate mon entretien avec celui-ci.

— Vous passez sur les malfaiteurs comme un faucheur dans un pré, dit-il avec une ombre de reproche... Le régime de la terre brûlée, en quelque sorte...

— Excusez-moi... Cela relève de la méthode dont je vous parlais à l'hosto. Vous vous souvenez?...

— La méthode particulière, ironise-t-il.

— C'est ça... Elle est un peu expéditive, mais elle a du bon. Ainsi, ne possédant aucune preuve contre lui, vous n'auriez pu forcer son mur de silence... Maintenant il s'est mis à jour lui-même vis-à-vis de la société... Il ne vous reste plus qu'à perquisitionner par ici pour dénicher la neige poudreuse et, certainement, un quelconque registre secret des abonnés à la drogue...

CHAPITRE XVI

*Où il est question
d'une visite, à la nuit*

Ce repas pris en tête à tête avec Brandon sera le dernier, je pense, que je consommerai en Angleterre, en tout cas au cours de ce voyage !

J'ai décidé de mettre les adjas ; j'en ai ma claque de ces aventures de drogue, après tout. Ça n'est pas mes oignons et je n'ai pas à faire le turf des petits aminches du Yard ! Ah ! non. J'espérais encore vaguement découvrir ce qu'Emmanuel Rolle maquillait parmi ces truands, mais depuis que Standley, dernier personnage de ma fresque britannique, est clamsé, je dis « pouce ».

Cette nuit, à partir de dix plombes, je dois retrouver ma petite infirmière chez elle car elle aura terminé son service. Je lui ferai mettre les doigts de pieds en bouquets de violettes et au matin ; voyez nuages ! Je reprends le bolide *to Paris*...

Pigalle ! La Seine... Mes chers bistrots !

— A quoi pensez-vous ? demande Brandon, que le vin rend un peu plus humain...

— A quoi voulez-vous qu'un Parisien pense lorsqu'il est hors de France ?

— A Paris ?

— Oui... Un jour faudra venir nous dire un bonjour, à la Grande Taule. On vous fera faire la tournée des grands ducs, Brandon...

— Volontiers...

Nous parlons de multiples futilités en consommant une dinde très comestible.

— Vous sentez-vous rétabli ? demande-t-il.

— A peu près. Oui... Il me reste, en plus de ma blessure à l'épaule, une certaine mollesse par tout le corps... Trois jours de repos en arrivant, trois autres jours de pêche à la ligne au pont de Saint-Cloud et il n'y paraîtra plus, soyez tranquille...

Il est près de huit heures lorsque je lui en serre cinq en songeant que je vais salement être en retard au rambour de la môme Dolly si je ne me manie pas la rondelle.

Aussi si vous voyiez le bonhomme sur la route de Londres : un vrai météore ! Les gnaces qui me regardent passer se demandent s'ils n'ont pas trop de tension et s'ils n'ont pas des vertiges...

Je bombe comme ça un bout de moment. Et puis, soudain, je freine sec. Une pancarte indicatrice vient de me dire : Ayat !

Ayat! Le bled qu'habite le fameux cycliste accidenté. C'est à cause de lui, dans le fond, que tout est arrivé...

Je revois la forge où le maréchal-ferrant m'a indiqué la maison de Duggle, la victime taciturne...

Un rougeoiement, une odeur de corne brûlée... Il marne encore, le brave artisan. Scène biblique : l'homme au travail...

J'arrête la voiture... Tant pis pour Dolly, elle en sera quitte pour m'attendre.

Le maréchal ferre un gros bourrin pommelé à la lueur de sa forge. Deux ou trois hommes le regardent œuvrer en silence, les mains au dos.

Je m'approche. Six regards méfiants m'accueillent.

— *Good night, gentlemen,* dis-je en soulevant un bada imaginaire.

Un murmure me répond.

— Y a-t-il parmi vous un honorable citoyen sachant le français ?

Un petit maigre vêtu de noir murmure :

— Moi. Je suis l'instituteur...

— Oh ! Enchanté.

— Mon nom est Robson...

— Commissaire San-Antonio. J'appartiens à la police française et j'enquête pour le compte d'une compagnie d'assurances au sujet de l'accident dont fut victime M. Duggle...

— Ah ! Parfaitement.

Il est gentil, le petit instituteur. Vaguement timide, moche comme un pou et terriblement jeune. Avec sa bouille de collégien trop vite grandi et abruti par les études je comprends qu'il vienne regarder ferrer les canassons plutôt que de charger les donzelles du patelin.

— Puis-je vous parler tranquillement ?

Nous sortons.

— Voyez-vous, monsieur... euh...

— Robson !

— C'est ça. Voyez-vous, monsieur Robson, je voudrais avoir une idée de la personnalité de Duggle. D'abord quelle est son activité réelle ?

Le petit pédago hésite.

— Il fabrique des condensateurs de radio, dit-il...

— Ah !... Et c'est d'un bon rapport ?

— Sans doute. Il travaille surtout pour l'étranger. C'est un modèle spécial, paraît-il, qu'il a mis au point et qui se vend beaucoup en France et en Belgique...

Je deviens rêveur...

— Voyez-vous... Des condensateurs de radio ! Je me serais plutôt figuré qu'on les fabriquait dans les usines spécialisées, pas vous, monsieur euh...

— Robson.

— Pas vous, monsieur Robson ?

— En effet, murmure-t-il.

Ce qu'il vient de me dire m'ouvre des horizons fabuleux...

— Soyez gentil, monsieur Ronson...

— Robson !

— Soyez un amour, monsieur Robson, accompagnez-moi jusque chez Duggle. Vous me servirez d'interprète.

— Volontiers...

Serviable, cet instituteur... Si j'avais des relations à l'Académie britannique, je lui ferais voter de l'avancement !

*
**

C'est Duffle qui nous ouvre.

Illico, je comprends que j'ai eu raison de me faire accompagner de l'instituteur, ça lui cause un choc psychologique, car un instituteur dans un village — même anglais — c'est une personnalité et ma démarche revêt du coup un caractère officiel.

— Vous allez traduire à Duggle ceci, fais-je, décidant comme à mon habitude de plonger carrément le fer dans la plaie !

Je me concentre afin d'assembler convenablement mes idées...

— Dites-lui que je suis au courant de sa participation dans la bande des trafiquants de stupéfiants...

L'instituteur est le premier à sursauter...

Mais Duggle lui fait un digne pendant. Il blêmit et parle avec volubilité.

— Pas tant de chare ! je gueule, comme s'il pouvait m'entendre.

« Il nie ? je demande à l'instituteur.

— Oui.

— Dites-lui que ça n'est pas la peine, j'ai les preuves. Il introduisit des quantités très fortes de cocaïne dans ces fameux condensateurs, c'était une façon astucieuse d'exporter la drogue.

Voilà, maintenant je démarre à fond parce que je suis sûr de moi. Je retrouve cet état d'hypnose qui me guide toujours au grand final de mes enquêtes. C'est bon de se sentir fabriquer la vérité. Le décalage de cet interrogatoire est un atout de plus, il me permet de concrétiser ma pensée.

Je parle comme un médium, les yeux mi-clos... Je ne m'occupe pas de l'instituteur qui se grouille de traduire, éberlué par mes paroles.

— Il était en combine avec Standley, le pharmacien, Stone, Higgins, Martha Auburtin. Un jour, avec Martha, ils ont décidé de tricher et de garder par devers eux une petite quantité de coco sur les envois camouflés... La fille se chargeait d'écouler la came mise à gauche par Duggle.

— Permettez, fait le petit instituteur, que

signifient les termes « camouflé », « came » et
« mise à gauche » ?

Je balaie ces soucis de vocabulaire d'un
geste...

— Vous occupez pas, il comprend ce que je
dis, va... Donc il faisait le trafic en douce pour
leur compte. Seulement les patrons s'en sont
aperçus. Ils ont décidé de supprimer Duggle,
lequel était dangereux car il pouvait manger le
morceau... L'accident n'était pas un accident,
mais un attentat ! Un attentat qui a échoué. Il a
servi d'avertissement sérieux à Duggle. Les
autres ne pouvaient plus le mettre en l'air tout
de suite, car l'attention s'était portée sur Duggle, à cause du meurtre du témoin...

Je fais claquer mes doigts, je rouvre mes yeux
et je contemple le bricoleur.

Il s'est laissé choir sur un siège et il parle, il
parle...

— Que dit-il ?

L'instituteur est méprisant. Il ne regarde
cette loque que du bout des yeux et traduit ses
paroles du bout des lèvres...

— Il avoue... Il prétend qu'il n'était qu'un
comparse ; il ne sait rien...

Je pense à Martha.

Pour elle ça été plus cher ; ils l'ont eue et
maintenant elle a un petit jardin sur le ventre...

— Bon. Questions sérieuses, dis-je. Où
étaient expédiés les fameux « condensateurs » ?

Traduction :

— Les adresses variaient. C'était toujours, en tout cas, dans un dépôt de gare, soit en France, soit en Belgique ou en Italie.

— Connaissez-vous Higgins ?

Réponse :

— Je l'ai vu une ou deux fois...

— Où se cache-t-il ?

Réponse :

— Je l'ignore.

— Avait-il une particularité quelconque ?

Réponse :

— L'accent français.

Je m'arrête... Voilà qui est important.

— Connaissiez-vous Rolle, Emmanuel Rolle ?

Réponse :

— Je l'avais vu parfois en compagnie de Martha...

— Appartenait-il à la bande de Stone ?

Réponse :

— Je l'ignore.

— Lors de... « l'accident », était-il seul à bord de la voiture ?

Réponse :

— Non. Il était avec Higgins.

— Qui conduisait ?

Réponse :

— Higgins...

Je pousse un cri de triomphe. Donc le

condamné n'a pas menti. Emmanuel Rolle était innocent ! Je soupçonnais un truc de ce genre, mais je pensais vaguement que l'accident avait eu lieu à cause de Martha et que c'était pour lui sauver la mise qu'il s'était accusé...

Tout ça flotte encore dans le mystère le plus épais...

— C'est bien, fais-je... monsieur Rotson...

— Robson !

— Monsieur Robson, je vous remercie pour votre précieux concours. Le temps presse, je dois partir. Prenez cette arme et tenez cet homme en respect en attendant l'arrivée du *chief-constable* que je vais alerter... Lorsqu'il radinera, vous lui direz de téléphoner immédiatement à l'*inspector* Brandon, hôtel du *Lion Couronné,* Northampton... Vous vous rappelerez ?

Il faut un signe affirmatif et, d'un œil éperdu fixe le revolver que je viens de lui glisser dans la main. De toute évidence, il préférerait tenir un porte-plume...

— Au revoir, monsieur Ropson...

Il trouve malgré tout le courage de protester doucement, pour la millième fois :

— Robson !

CONCLUSION

CHAPITRE XVII

Où il est vraiment question d'en finir !

La petite Dolly se souviendra, j'espère, long-temps de cette fin de nuit agitée.

Je suis arrivé à son petit appartement avec deux heures de retard, mais je vous jure que je lui ai revalu le temps perdu.

On a commencé par le rôti, sans passer par les hors-d'œuvre. Tous les gens qui ont très faim procèdent ainsi.

Je lui ai d'abord fait le coup du gendarme et de la rempailleuse de chaises, puis on est passé à maman-tonton ; ensuite on a essayé la brouette japonaise et enfin, comme il restait une demi-heure avant mon départ pour l'aéro-drome, j'ai mis au point un truc intéressant que j'ai baptisé : « La petite fille dans le brouil-lard »… Je m'engage à fournir la recette à tous ceux qui m'en feront la demande en joignant un mandat de cinq cents francs à leur lettre !

Aussi c'est cent quatre-vingts livres de bonhomme flapi que la Caravelle d'Air France ramène au bercail...

Félicie, ma brave femme de mère, est à l'aérodrome... Elle pleure comme à un enterrement. On s'en fait péter une douzaine sur les deux joues.

— Comme tu es pâlot, mon grand, soupire-t-elle...

— C'est de la bonne fatigue, m'man, je lui assure en dédiant un fugace souvenir à Dolly, l'infirmière vicelarde.

L'air de Paris! L'air de Paname! L'air de Pantruche, mes bons amis! Ça vaut tous les pneumothorax du globe! Toutes les brises marines; tous les souffles de la nuit flottant sur Galgala... Cette citation pour vous prouver que vous n'avez pas affaire à un peigne-cul sans science, à un béotien, à un inculte!

On prend un taxi pour regagner notre petit pavillon de banlieue.

Félicie me dit :

— J'ai une grande nouvelle à t'annoncer...

— Vas-y : on a gagné à la Loterie ?

— Non... Ton chef vient dîner à la maison...

Alors là, les mecs, j'en suis sur le baba! Le chef venir morfiler chez nous !

— Comment ça se passe, m'man, un miracle pareil... On m'a raconté ceux de Lourdes et de Fatima, j'ai trouvé ça au poil, mais vécu, ça doit être encore plus chouettosse.

Elle rit de bon cœur, cette vieille maman.

— Ton chef m'a téléphoné en me disant que tu rentrais aujourd'hui. Il a ajouté qu'il aimerait bavarder avec toi tranquillement et que si ça ne me contrariait pas trop... Dis, Antoine, j'ai envie de commencer par de la langue fumée et des quenelles au brochet... Et puis j'ai commandé un poulet chez la crémière...

Le boss est là, oui, mon petit ! dans notre meilleur fauteuil, avec au milieu du bec un cigare gros comme la cuisse de l'aînée des Peter Sisters...

Nous avons bouffé la langue de maman — si je puis dire ! ses quenelles qui, au mérite d'être au brochet joignaient celui d'être en gratin ; son poulet appelé chasseur alors qu'il n'a été que chassé...

On a mangé la salade, le fromage, la tarte, la crème renversée...

On a bu le café...

Et puis, je me suis mis à raconter ma petite histoire...

Toute ! Sans omettre une virgule...

Le boss a allumé un cigare et nous nous sommes enfoncés dans le silence, dans la fumée, dans nos réflexions...

Enfin, le vieux porte la main à son crâne, dénudé et brillant. Un crâne de gala !

— Je crois arriver à la même conclusion que vous, dit-il.

— Mais, patron, je n'ai pas...

— Avec ça ! Je vous connais, San-Antonio... Et non seulement je connais mes inspecteurs, mais je connais aussi mes amis...

Je le regarde...

— Vous vous demandez pourquoi Emmanuel Rolle a payé si cher une faute qu'il n'avait pas commise, n'est-ce pas ?

— C'est vrai...

— Si ça n'est pas pour une femme, si ça n'est pas par amour, c'est pour un homme et par... tendresse...

— Exact, chef...

— Ce qu'il aurait pu faire pour une épouse ou une maîtresse, il l'a fait pour un ami... le plus grand, le plus total des amis : pour son père !

— Je le crois, en effet, chef !

— Vous vous dites qu'un colon et un messager sont bien faits pour aller ensemble ? Vous vous dites que c'est à partir du moment où vous avez prononcé le nom de Rolle que Stone a décidé de vous supprimer...

— Tout ça est juste, patron !

— Vous vous dites que Rolle a les cheveux gris...

— Oui !

— Et moi je vais vous dire qu'il a été élevé à Oxford, donc qu'il parle parfaitement l'anglais...

— Ah ! bon.

— Vous vous dites qu'une Hillmann laissée dans un garage de Douvres, cela peut signifier qu'elle appartient à quelqu'un faisant la navette entre la France et l'Angleterre. Quelqu'un désirant voyager à son gré de l'autre côté du Chanel...

— Bref, conclus-je, nous nous disons en ce moment l'un à l'autre que le père Rolle est certainement Higgins, hein, chef ? Il avait mis au point une sale combine de trafic avec Stone. L'affaire avait pris de l'extension... Le vieux considérait cela comme une affaire ordinaire ; louche, délicate, mais ordinaire... Il y a fait tremper son propre fils... Seulement Emmanuel avait d'autres idées... Il a marché sans joie, lorsque le vieux est devenu un assassin, le soir où il rentrait de Northampton, il a gambergé à tout ça de très près et a décidé de se livrer... L'assassin payait pour la famille, par personne interposée en somme...

— C'est bien ça, sans doute...

— Vous qui connaissez les Rolle, vous trouvez que ça correspond à leur genre de beauté ?

Le chef n'hésite pas :

— Je le crois...

Il soupire.

— Le calvaire du père a dû être effroyable : il aimait beaucoup son fils...

— Pourquoi l'a-t-il laissé pendre, alors ?

— Les affaires, je pense... Et puis il a compris qu'il était trop tard ; le fils n'aurait pas toléré être le fils d'un condamné à mort, il a préféré être la victime... Son crime était banal, c'était un réflexe presque naturel, excusable en tout cas... Le crime du père aurait été odieux et aurait sali toute la famille...

Il tire une large bouffée qu'il envoie par-dessus le lustre.

— San-Antonio...

— Chef ?

— Vous avez cru quand, à la culpabilité du père Rolle ?

— A partir du moment où, sur un bouton j'ai lu les chiffres : 18-15-12-12-5... Sans être un spécialiste des langages chiffrés, je sais traduire un cryptogramme aussi simple. Mis en clair, en donnant à ces chiffres la place de la lettre qui correspond à eux dans l'ordre alphabétique, cela donne R.O.L.L.E.

CHAPITRE XVIII

Où il est question d'une coupure de journal

Je lis dans la presse du lendemain :

SUICIDE D'UN EXPLORATEUR COLONIAL

Je jette le canard à travers la piaule.

Bon. D'accord. Le chef a fait le nécessaire. C'est mieux comme ça, mais j'en ai ma claque de cette histoire...

Marre de cette sérénade !

Vous n'auriez pas quelque chose à boire, des fois ?

FIN

Achevé d'imprimer le 20 avril 1984
sur les presses de l'Imprimerie Bussière
à Saint-Amand (Cher)

— Nº d'impression : 586. —
Dépôt légal : juin 1984.
Imprimé en France